Zoé à Bercy

Zoé Shepard

Zoé à Bercy

Albin Michel

Bien qu'inspiré par des situations qui pourraient être réelles, ce livre est une œuvre de fiction.

Tous les personnages de ce livre sont sans rapport avec la réalité, bien que l'ego de certains les pousse à croire le contraire.

Prologue

J'aimerais trouver la première phrase idéale qui s'inscrirait dans la lignée des « Au commencement, Dieu créa le ciel et la terre » et autres « Longtemps, je me suis couché de bonne heure ».

Tout plutôt que la question par laquelle tout a vraiment commencé lorsque Coralie Montaigne, l'assistante de mon ancien service de la mairie, a débarqué dans le réduit qui me servait de bureau :

– Vous allez aux toilettes ?

Je réponds que oui, effectivement, c'est bien là que je me rends et vois ma Coconne rayonner comme si c'était l'acte le plus extraordinaire que j'aie accompli depuis mon éviction de la DIE, la Direction Internationale et Europe[1].

Sans doute n'aurait-elle pas tort.

– C'est super ! réplique-t-elle gaiement. Je peux venir ?

– Avec moi ? Non !

– Je suis surexcitée, m'avoue-t-elle en battant des mains. J'ai une supernouvelle à vous annoncer ! Je vous dis tout après, conclut-elle avant de me planter là.

---

1. Pour ceux qui auraient manqué la saison précédente, *Ta carrière est fi-nie !*, Albin Michel, 2012.

9

Cinq minutes plus tard, je la retrouve, installée dans mon bureau, en train de verser un sachet de café lyophilisé dans ma tasse.

– Vous n'étiez pas en réunion de service, hier, remarque-t-elle.

– Comme je ne fais plus partie du service depuis plus de six mois, mon absence a une certaine logique.

– J'avais oublié. Alors, c'est ça être placardisée ?

– Ne plus avoir de téléphone, de connexion Internet et de dossier ? Oui, c'est ça, Coralie.

– Je parlais de votre bouilloire, elle ne marche pas, déplore-t-elle.

– En la branchant, si. Quelle est donc la supernouvelle que vous vouliez m'annoncer ?

– J'ai eu une promotion interne. Vous savez, il y a les promotions au mérite et à l'ancienneté. Moi, je l'ai eue à l'ancienneté.

Sans blague ?

Le flot de paroles qui s'échappe de Coralie m'apprend que la DIE a embauché trois agents supplémentaires et que, devant la pénurie de bureaux, elle a dû partir. La décision a été difficile à prendre, elle craignait que le service ne pâtisse de son absence, mais elle devait penser avant tout à sa carrière.

– Donc maintenant, je travaille avec Thomas Becker.

– Vous travaillez avec le directeur de la Commande publique et des finances ?

L'imagination défaille à la pensée de ce qui va se passer.

– Vous comprenez, avec les réactions budgétaires, reprend-elle. Comme l'État refroidit les donations aux collectivités locales…

– Les restrictions induites par le gel des dotations, oui, mais quel rapport avec vous ?

– Eh bien, Thomas avait besoin d'une assistante effi-cace.

Si l'une des personnes les plus compétentes de cette mairie a sérieusement pensé que Coconne, qui n'a jamais réussi à envoyer un fax à l'endroit ou à faire une photocopie comprenant l'intégralité du document original, serait capable de résoudre les problèmes financiers, il y a vraiment quelque chose de pourri dans cette collectivité.

– En plus, il travaille en parfaite coopération...

– Collaboration, oui...

– ... avec moi, reprend-elle. Il me demande des choses et si je les oublie, il les fait à ma place. Du reste, il va venir vous voir.

– Vraiment ? Quand ?

– Maintenant, soupire Thomas en poussant la porte et en s'asseyant sur un coin de mon bureau.

– Ce que Coralie essaie de dire est que nous montons un projet de rationalisation de la dépense publique, complète-t-il d'une voix plus lasse que dans mon souvenir.

– Parce que l'administration d'il y a deux cents ans, c'est fi-ni, rajoute sa recrue de choc, avant de nous annoncer qu'il est seize heures cinq et qu'il est hors de question qu'elle fasse des heures sup'. Aujourd'hui, nous sommes des inventeurs de concepts, des ensembliers, pas de vulgaires machines à traiter les dossiers, ajoute-t-elle avant de se précipiter vers la sortie.

À ma connaissance, Coconne n'a jamais rien traité du tout, mais je décide de passer outre.

– Vous, ça va ? me demande le responsable de la Commande publique de cette mairie où je stagne depuis des années.

– Je n'en suis pas à ce niveau d'introspection.

11

– Cosy, votre bureau. Que fait une « chargée du suivi de l'action de la Ville en matière de renforcement de la citoyenneté et du reste » ?

– Des notes de synthèse des notes de synthèse de cette armoire. *Le Monde de Narnia* version administrative.

– J'aimerais vous exfiltrer de ce triangle des Bermudes de l'accomplissement professionnel.

– Comment ?

– Un fonctionnaire du ministère des Finances va être détaché à la mairie pour nous aider à adapter la LOLF[1] à notre budget. En échange, nous allons leur envoyer quelqu'un d'ici. J'aimerais que ce soit vous.

– La Direction générale veut que je démissionne, jamais ils ne me laisseront partir à Bercy.

– J'accueille un fonctionnaire d'État que je n'ai pas recruté moi-même et j'ai débarrassé la Direction Internationale et Europe de Coralie. Rien que pour ça, les Ressources humaines sont à mes pieds ! Alors, Paris, Bercy, les finances, le budget, ça vous tente ?

----

1. Loi organique relative aux lois de finances.

Février

What do you do for money, Honey ?

« En ce monde, rien n'est certain, à part la mort et les impôts. »

Benjamin Franklin,
Lettres

Six ans plus tard

Mercredi 4 février

18 h 05

Le ministère des Finances.

Un paquebot mégalo-stalinien, peuplé d'agents au teint hâve, sanglés dans des costards anthracite. Lorsqu'ils ne sont pas enfermés dans leur bureau ou en salle de réunion, les fonctionnaires de Bercy parcourent la quarantaine de kilomètres de couloirs, l'air oppressé comme s'ils portaient sur leurs épaules le poids de la dette française.

Je mets un point final à une note lorsque Paul Brochard, le très puissant directeur du Budget, débarque dans mon bureau, se laisse tomber sur une chaise et se frotte les mains avec satisfaction.

– Je viens d'avoir une excellente nouvelle !

– La crise est finie ?

– Mieux. Vous savez, de Vauclair, de l'Institut de sondage… Vous vous en souvenez ?

Si je devais retenir tous les noms à particule du réseau de Paul, je serais secrétaire à plein temps. Mais

15

cela ne m'empêche pas de me composer un air enthousiaste :

— De Vauclair ! Mais bien sûr !

— Les sondages officieux prévoient une déculottée
magistrale de la majorité aux municipales. Vous savez
ce que ça signifie ?

— Remaniement ?

Quel que soit le ministre, notre mission ne varie que
marginalement. Tout au plus maquille-t-on quelques
idées pour les faire rentrer dans des cases politiques
dont, à vrai dire, on se fiche.

— Exactement ! L'heure de la revanche a sonné ! Ou
plutôt, elle sonnera dans un mois ! Je vous l'avais dit :
les ministres des Finances sont des touristes qui ne font
que passer. Quand je pense que ce petit coq a encore
menacé de me virer la semaine dernière ! Je vous promets
un lobbying d'enfer pour que sa photo soit reléguée au
fond de la rotonde, décrète-t-il, se frottant à nouveau les
mains en m'exposant cette stratégie machiavélique.

Les portraits en noir et blanc de tous les gardiens
successifs de l'orthodoxie budgétaire s'affichent au rez-
de-chaussée de l'Hôtel des Ministres dans une espèce
de spirale sans aucune logique si ce n'est celle de permettre à l'instigateur de cette coutume, l'ancien ministre
Thierry Breton, de figurer au centre de ce panthéon
des egos.

— Tout au fond, reprend Paul. Et ensuite, je fais rajouter un extincteur juste devant sa photo, conclut-il, aux
anges. Ah, j'allais oublier : votre nouvelle assistante
arrive lundi.

— Vous avez son nom ? Dites-moi, c'est Évelyne…

– Non, Évelyne va passer des Moines Soldats aux Putes Bourgeoises[1] et je n'ai pas le nom de la vôtre. Je suis directeur du Budget, pas des Ressources humaines.

– Paul, quelque chose ne va pas ?

Il est des personnes dont la seule présence me met mal à l'aise et me transforme immédiatement en adolescente gauche agitée de tics nerveux. Cela n'est pas sans poser quelques problèmes lorsque l'une de ces personnes s'avère être Vivianne, « Herr Kaiser » pour les intimes, chargée de la Communication au ministère et accessoirement nouvelle femme de mon patron.

Quelques mois auparavant, Paul était revenu d'un déjeuner en arborant un air malade de jalousie rentrée après avoir écouté les anciens de sa promotion dresser l'inventaire de leurs résidences secondaires et de leurs voitures de collection.

C'est alors qu'il avait eu l'Idée.

La Vierge Marie – ou plus concrètement le dieu du Capitalisme visité par la muse du Cognac – lui était apparue pour lui annoncer qu'un administrateur civil hors pair comme lui se devait d'embrasser une Destinée plus ambitieuse que celle qui l'avait parfaitement satisfait jusque-là.

Bien qu'ayant fait toute sa carrière dans l'administration, il avait décidé que l'avenir de son compte en banque était dans le privé. Fermement décidé à partir, il avait fait appel à un chasseur de têtes et avait été reçu par un cabinet fiscal.

Après plusieurs entretiens, il avait sagement conclu qu'il n'avait aucune chance de s'épanouir dans un job où faire du chiffre était la doxa. Mais il était tombé sous le charme

---

1. La direction du Budget et la direction du Trésor.

d'une collaboratrice qu'il avait épousée quasiment dans la foulée. Passant plus de douze heures par jour à Bercy, il avait fort logiquement décidé de la rapatrier à proximité et lui avait trouvé un poste à la communication.

Et Herr Kaiser avait débarqué dans nos vies.

Depuis, tous les midis, elle le traîne dans une exposition branchouille de la capitale, corvée dont il s'acquitte avec une bravoure peu commune. Le reste du temps, elle patrouille dans les couloirs en expliquant à ceux qu'elle croise qu'elle a de grandes idées pour faire de Bercy l'administration de demain.

Et voici comment un type surnommé le « Coupeur de coûts », capable de faire plier les ministres les plus dépensiers et de vider une loi de son sens parce qu'il la trouve injustifiée, se métamorphose en gamin extatique lorsqu'elle lui accorde un sourire ou en larve apeurée à la moindre moue boudeuse de celle qui est devenue sa tortionnaire légale.

— Paul, il est hors de question qu'on arrive en retard au Club House.

Sa moitié hoche nerveusement la tête.

Deux ans plus tôt, il était le premier à fustiger ces crétins qui dépensent une fortune pour se promener dans des parcs en poussant une balle blanche vers des trous ou, disait-il, se complaisent à jouer les galériens sur le lac artificiel d'un club privé.

Maintenant, il pousse et rame trois fois par semaine.

— Sans compter que Zoé a sans doute à faire avec tous ses enfants, rajoute perfidement Herr Kaiser.

— Je n'ai que deux enfants, et ils sont chez leur père, cette semaine.

— Vous savez, Zoé, j'en parlais justement à Paul, l'autre jour. J'ai lu un article très intéressant sur la garde alternée. Je vous le résume, car j'imagine que vous n'avez guère le temps de lire, mais en gros, plusieurs pédopsy-chiatres s'accordent à dire qu'on n'a rien inventé de pire pour déstabiliser un enfant.

Vendredi 6 février

10 h 35

Paul débarque dans mon bureau, une corne de crois-sant mâchonnée à la main, une enveloppe dans l'autre.

– C'est la folie au cabinet, soupire-t-il en déposant une invitation à un séminaire.

Effectivement, à quelques encablures de là, les conseil-lers du ministre arpentent les couloirs, portable vissé à l'oreille, appelant l'intégralité de leur carnet d'adresses afin de trouver un endroit où se recaser une fois les municipales passées.

– En vue du remaniement, nous allons commencer à préparer le dossier « ministre ».

Cette formule pompeuse désigne une feuille de route indiquant au nouveau venu ce qui est possible – les idées de l'Administration – et ce qui ne l'est pas – tout le reste.

Une arme de pointe dégainée à chaque intronisation pour bien montrer qui est le chef : nous.

– Votre nouvelle assistante n'est toujours pas arrivée ?

– Non et je ne comprends pas. Je viens d'appeler la DRH, elle a quitté leurs bureaux il y a plus d'une demi-heure.

– Si ça se trouve, elle est allée directement voir Armand et nous ne la reverrons plus jamais, prophétise Paul.

19

Armand, l'un des chefs de bureau, est un bourreau de travail qui produit plus de notes que n'importe quel être humain passé à Bercy et travaille sans relâche pour une France qui n'existe pas : un pays où les gens disent « je vous en prie » plutôt que « dégage, connard ! ».

Capable de réciter le moindre article du Code général des impôts, ou de rédiger une note présentant un programme de désendettement béton en un après-midi, notre collègue a écopé du surnom d'Amstrad.

L'organigramme indique clairement que chaque cadre dispose de sa propre assistante, mais Amstrad et moi nous partageons la nôtre depuis le départ de Thérèse, aussi douce qu'incapable de dactylographier quoi que ce soit. Amstrad avait donc sagement décidé de lui confier le collage de ses vignettes de Sécurité sociale sur les feuilles du même nom. Les quatre visites hebdomadaires chez le médecin de son hypocondriaque de chef avaient permis à Thérèse de s'occuper à plein temps, jusqu'à ce que l'avènement de la carte Vitale scelle la fin de ce partenariat efficace.

Il avait alors décrété qu'il n'avait plus besoin d'une assistante à plein temps et empruntait donc la mienne à l'occasion.

Enfin, *les* miennes, car après avoir longuement observé la photo du bébé de ma première assistante, cet handicapé des relations humaines avait rendu cette conclusion : « Disposez-vous d'une bonne mutuelle ? Corriger un strabisme convergent bilatéral pareil coûte cher. » Je suis convaincue qu'il n'a toujours pas compris pourquoi elle avait demandé sa mutation dans la foulée.

– Excusez-moi de vous déranger, vous savez où je peux trouver Shakira ? demande une voix que je reconnaîtrais entre mille.

– Non, mais si vous la voyez, je vous remercie de bien vouloir l'envoyer dans mon bureau, s'enthousiasme Paul avant de vérifier qu'Herr Kaiser n'est pas à portée de voix.

Tout à coup une silhouette familière surgit.

– Coralie ? Coralie Montaigne ? Mais qu'est-ce que vous faites là ?

– Zoé ! Ça fait drôlement longtemps ! Eh bien, on peut dire que vous tombez à pic ! Vous allez pouvoir me renseigner, je cherche Shakira. J'ai lu dans *Closer* qu'elle était en répétition, donc j'aurais voulu la rencontrer.

– Mais qu'est-ce que Shakira pourrait bien faire ici ? Elle ne paye même pas ses impôts en France !

– On est à Bercy, non ? Je viens juste d'y être détachée, donc je voudrais la voir.

Paul me jette un regard inquiet. J'attrape mon café et le bois cul sec.

– Comment ça, vous venez « juste d'y être détachée » ?

– Je voulais me rapprocher de Paris et mon directeur m'a rempli les papiers pour que j'aille à Bercy. Je crois que ça lui a fait quelque chose que je parte, il était tout chose, à mon pot de départ.

« Soulagé. » Il était « soulagé ».

– Ici, vous êtes à Bercy, le ministère des Finances, pas Bercy le palais Omnisports, développe Paul avant de se pencher vers moi et de me chuchoter : Je pense pouvoir dire, sans me tromper, que votre nouvelle assistante est arrivée.

Sans déconner, c'est quoi, ce karma pourri ?!

– Je vais vous laisser, enchaîne mon directeur. Pour le dossier « ministre », on fait comme d'habitude : vous me produisez une gamme de possibles. Bercy fournit le fond, le ministre, la forme.

Paul aime à répéter que « La France doit plus à Colbert qu'aux Bourbons » et voue un véritable culte à Pierre Bérégovoy, qui regroupait deux qualités essentielles à ses yeux : il n'y connaissait pas grand-chose aux finances publiques et se laissait volontiers guider par son administration.

– Ça veut dire que je vais être votre assistante ? Encore ? Oh là là !

À qui le dites-vous. C'est officiel : je suis maudite.

– J'en ai bien peur, Coralie. Votre bureau est en face. Il y a une liste de tâches à faire. Si vous ne comprenez pas quelque chose, n'hésitez pas à venir me demander.

11 h 30

Autant dire qu'elle n'a pas hésité du tout.

Les deux heures qui ont suivi ont consisté en d'innombrables allers-retours ne laissant aucun doute sur une éventuelle amélioration des capacités intellectuelles de ma Coconne.

– Vous savez, je me suis doutée que quelque chose clochait quand je suis arrivée, m'annonce-t-elle en débarquant dans mon bureau pour la huitième fois.

– Vraiment ?

– Mais oui, je réfléchis, moi, vous savez !

Le tissu du continuum espace-temps va se dénouer incessamment.

– Tous ces gens pâlots avec leurs vêtements gris foncé, reprend-elle, ça fait pas du tout show-business.

Lui faire remarquer qu'avec la pile de documents entassés sur son bureau, ma nouvelle assistante de choc a sans doute mieux à faire qu'à philosopher sur notre tenue serait voué à l'échec. Sans lever les yeux de mon écran, je réponds donc :

— Il faudra vous y faire. À Bercy, le gris, c'est notre bleu de travail.

— C'est d'un sinistre. D'ailleurs, c'est bien simple, tout à l'heure, quand je suis allée en repérage à la machine à café, j'ai cru que votre ministre était mort et que c'était pour ça que j'avais été engagée.

Parler avec Coconne donne cette sensation qu'on a parfois dans les rêves lorsque les tableaux s'enchaînent sans aucune cohérence et qu'en se réveillant, seule l'impression de malaise et de flou persiste. Malheureusement, avec elle, on ne se réveille jamais.

— Je ne fais pas bien la jonction. Lorsque je vous ai laissée à la mairie, vous avez enchaîné sur une formation de thanatopracteur ?

Cela expliquerait bien des choses.

— Non, juste que comme je pensais qu'il était mort, je me suis dit que vous m'aviez embauchée parce que vous aviez un surplus de travail.

— Coralie. Vous pensez que l'on vous a embauchée pour remplacer un ministre ?

Sérieusement ?

Jeudi 12 février

15 h 45

— Vous m'avez bien dit de venir vous voir si je ne comprenais pas quelque chose ?

— Si c'est lié au travail, Coralie. Parce que sinon, autant libérer votre bureau et vous installer directement dans le mien. Je vous écoute.

— Quand c'est dissolu, il se passe quoi ?

— On dit « dissous ». Qu'est-ce qui est dissous ?

— Ben, j'ai lu que l'Assemblée nationale allait être dissous.

— « te. » Et non, pour le moment, il faut attendre les municipales et il est très probable qu'il y ait remaniement.

— Je ne comprends rien.

Sacrée surprise.

— Un nouveau gouvernement pourrait être formé. Avec un nouveau ministre des Finances, notamment.

— Vous changez de chef aussi rapidement ? s'étonne Coralie. À la mairie, on a toujours eu le même. Et avant lui, c'était son père, alors...

— Nous ne sommes plus à la mairie, Dieu merci... Je préfère vous avertir que pendant les périodes électorales, nous avons un véritable surcroît de travail.

Coralie me regarde d'un air vide tout en remuant avec une léthargie ostensible sa petite cuillère dans son café.

— Et pourquoi vous me dites ça, à moi ?

— Parce qu'être mon assistante nécessite ponctuellement que vous m'assistiez, donc j'apprécierais que vous évitiez de partir à seize heures trente tous les soirs.

Surtout que Coralie sait faire preuve d'anticipation et débranche téléphone et PC dès quinze heures dix, expliquant à qui veut l'entendre qu'elle n'a pas eu une minute à elle de la journée et qu'elle a bien mérité une pause.

— Et nous sommes en pleine préparation des RAP.

— Vous allez faire un *lip dub* ? s'enthousiasme mon assistante.

— RAP. Rapports annuels de performance. L'équivalent du compte administratif en collectivité.

Elle me lance un regard vitreux et j'évite de penser qu'elle a passé six ans au côté du directeur des finances de la mairie dont la béatification ne devrait pas tarder.

– C'est le bilan de l'exécution du budget à partir duquel nous bâtissons les principales hypothèses à retenir pour la préparation du prochain budget. Qui s'appelle « loi de finances », mais on verra ça en temps utile. Quoi qu'il en soit, j'ai besoin de vous.

– Cela dit, 16 h 30, c'est la fin de la plage fixe, fait-elle remarquer, avant de réciter : 9 h 45-11 h 30, 14 h 30-16 h 30, plages fixes. 7 h 00-9 h 45 et 16 h 30-20 h 00, plages mobiles. Et trois quarts d'heure obligatoires pour déjeuner.

Pour une personne incapable de se rappeler qu'il faut appuyer sur Ctrl-S pour enregistrer un document en Word, Coralie sait faire preuve d'une mémoire surprenante quand ça l'arrange.

19 h 50

Les périodes électorales sont d'autant plus denses que la plupart d'entre nous ont deux journées de travail. Les équipes de campagne savent que les fonctionnaires des finances sont parfaitement rodés pour leur fournir des notes solides sur n'importe quel sujet et nous pressent comme des citrons en nous agitant sous le nez la carotte d'une intégration dans le saint des saints : le Cabinet. Autrement dit, les surhommes qui conseillent le ministre.

Enfin, quand je dis « nous », c'est une figure de style.

Parce que mon père a élaboré un rituel immuable depuis mon arrivée à Bercy. Lorsqu'une élection se profile, il me téléphone pour m'enjoindre immédiatement de le rappeler « puisqu'avec ton Internet, tu ne paies pas la communication ».

À peine me suis-je exécutée qu'il commence à grogner contre les marchands voleurs, les industriels exploiteurs, les financiers rapaces et la clique des politicards de tous bords complices de ces coquins.

Enfin, tous sauf un.

Car il réussit l'exploit de dégoter à chaque élection un candidat de derrière les fagots, parfaitement inconnu du public et de Google, mais sur lequel il fonde tous ses espoirs.

Maintenant qu'il a fait le gros du travail, sa fille pourrait-elle consacrer quelques minutes de son temps à se rendre utile et préparer un dossier sur les grandes questions économiques et sociales pour son candidat ?

Évidemment, j'agite le devoir de réserve, la surcharge de travail, les jumeaux...

Mon père enchaîne directement sur la bande d'affameurs que je viens de rejoindre et du jour radieux où le peuple leur fera rendre gorge. Et de conclure par un vibrant : « Du temps de la Commune, on savait comment traiter ces gens-là ! » qui, invariablement, m'exaspère. Je lui raccroche au nez et rappelle deux heures plus tard, bourrelée de remords et prête non seulement à rédiger un programme béton mais aussi à distribuer des tracts.

Je passerai donc mes soirées et mes nuits à rédiger un programme ficelé de cinquante pages pour alimenter un improbable candidat qui ne fera pas 1 %.

Autant dire qu'en misant sur des canards boiteux pareils, je ne suis pas près d'ajouter « conseillère technique du ministre des Finances » sur mon CV.

Lundi 16 février

16 h 40

– Nous sommes toutes et tous des numéros 3, m'annonce gravement Coconne en débarquant dans mon bureau – sans les documents que je lui ai demandé de m'apporter, cela va de soi.

– Si vous le dites. Où sont les parapheurs ?

Mon assistante me regarde avec lassitude.

– Zoé. Honnêtement. Vous ne pensez pas qu'il y a d'autres préoccupations plus importantes que des parapheurs qui, cela dit en passant, se ressemblent tellement que je ne sais jamais lequel je dois vous apporter ? Parfois, je prends au pif, ajoute-t-elle sur le ton de la confidence.

Tout s'éclaire.

– Et qu'y a-t-il de plus important que votre travail pendant les heures de bureau ?

– Vous savez que, dès la naissance, nous sommes hiérarchisés. Et comme par hasard, 1, c'est le masculin et 2, le féminin. La femme, reléguée au rang d'éternel second. Vous trouvez ça normal ? récite-t-elle d'un ton mécanique, le front plissé par la concentration.

Respiration par le ventre. Inspiration. Je bloque. Expiration.

Mais de quoi parle-t-elle ?

– Si vous pouviez développer le « ça », peut-être pourrais-je répondre à votre question.

– Ben, le numéro de Sécurité sociale, réplique-t-elle, apparemment suffoquée par mon ignorance. Il faut

27

impérativement supprimer ce premier chiffre. Attendez, exige-t-elle en dégainant un papier qu'elle commence à lire : « … alors, nos identités sexuelles dépassent ces deux catégories et ne sont conditionnées à nos sexes que par des habitus dont il faut se débarrasser urgemment. »

Elle s'interrompt, enchantée de sa sortie.

– Coralie, vous avez parlé avec Vivianne.

– Tout à fait. C'est une femme très engagée.

Qui, de toute évidence, sait choisir ses croisades – et ses alliées – avec soin.

Le numéro de Sécu ? Sérieusement ?

Herr Kaiser se revendique l'unique dépositaire du concept de féminisme, affichant un mépris poussé pour celles qui adoptent un « féminisme à la carte », comme elle le déplore en soupirant. Il ressort de ses discours qu'il est scandaleux voire indigne de ma condition que je sois incapable de me concentrer sur les vrais enjeux de société au lieu de m'adonner à des tâches aussi vulgaires que remplir le frigo et lancer une lessive.

Et pour asseoir sa légitimité dans ce domaine, elle n'hésite pas à sortir l'artillerie lourde.

Car elle seule possède LA vraie vision des choses. Dans ses discours émaillés de « réussir », « indépendance », « choisir » et « liberté », elle déplore que je me repose sur les acquis que le courage de femmes fortes a permis d'obtenir. Du reste, elle ne m'a pas vue militer pour l'abolition de la case « Mademoiselle » dans les formulaires administratifs.

Olympe de Gouges meurt une seconde fois par ma faute.

– Votre portable vibre, remarque Coralie en s'installant plus confortablement sur la chaise. C'est qui ?

Le dalaï lama qui se propose de me donner des cours de relaxation gratis pour vous supporter.

– Un SMS de la nounou de mes enfants indiquant que « l'école informe les parents que les POUX sont de retour ».

À ma connaissance, ils ne sont jamais partis, mais passons.

Coconne me regarde comme si je venais de faire le poirier sur mon bureau.

– Vous avez des enfants ?

– Oui, deux. Une fille et un garçon de cinq ans.

Mon assistante fronce les sourcils, tord la bouche et décrète :

– Je ne vous crois pas. La preuve : y a même pas de photos d'eux sur votre bureau. Quand vous êtes partie de la mairie, vous n'en aviez même pas, d'abord.

– Mais Coralie, ça fait six ans. Entre-temps, je me suis mariée, j'ai eu deux enfants et j'ai divorcé.

Je laisse Coconne encaisser le coup et décide de m'occuper de la seconde partie du SMS. Mon ex-mari décroche dès la première sonnerie.

– S'il te plaît, s'il te plaît, s'il te plaît, je sais que ce n'est pas ta semaine, mais peux-tu passer récupérer les enfants avant dix-huit heures et libérer la nounou ?

François soupire à l'autre bout de fil.

– Je pourrais avoir des projets. Un rendez-vous galant, même.

– Jamais tu ne tromperais ton travail avec une femme.

Il s'esclaffe, avant d'enchaîner :

– Je suppose que tu vas travailler tard, donc, si tu préfères, je les garde cette nuit et les dépose à l'école demain matin ?

– Ça m'arrangerait vraiment... Tu peux vérifier s'ils ont des poux, au fait ?

29

Lorsque en quête de réconfort, j'avais expliqué à ma sœur que François et moi pratiquerions la garde alternée pour nos jumeaux, j'ai cru qu'elle allait défaillir. J'allais laisser deux enfants en bas âge avec leur père ? Étais-je inconsciente ?

Contrairement à François, mon beau-frère n'a jamais donné le biberon ni un bain à ses enfants et je ne suis pas certaine qu'il ramènerait sa propre progéniture de l'école si Élise ne s'en chargeait pas. Et je la soupçonne d'aimer cette situation.

Le non-partage des tâches sur fond de « laisse, tu vas mal faire et j'irai plus vite » lui a permis d'accéder à la sainteté domestique et de reléguer son mari au rang de « la croix que j'ai à porter ».

Ce que j'appelle un partage normal des tâches est considéré comme une lubie féministe par ma sœur, toujours prompte à fustiger ces « mères modernes » qui font des enfants pour les faire élever par des nourrices ou les coller devant la télé avec un paquet de chips.

Jeudi 19 février

8 h 10

Je fourre les affaires de sport des enfants dans leur sac d'une main, tout en me brossant les cheveux de l'autre et en hurlant des questions à intervalles réguliers :

– Vous êtes prêts ? Vous avez fini le petit déjeuner ? Vous venez vous débarbouiller ?

J'entre dans le salon pour découvrir deux éléphants de mer à moitié habillés, affalés devant la télévision, leur bol de céréales plein sur la table basse dont la surface est à présent maculée d'un mélange poisseux de lait chocolaté.

– Dépêchez-vous, on va être en retard. Et j'avais dit : pas de télé le matin. Les dents. Allez vous laver les dents. Non, ce n'est pas possible que ce soit fait, je n'ai vu aucun de vous deux entrer dans la salle de bains. Vous mangerez mieux à midi. Je vous ai mis des clémentines dans vos cartables pour la récré. On se lave les dents matin *et* soir. Parce que c'est comme ça. Chez Papa, c'est pareil et je le sais. Maintenant, on s'active parce que vous allez être en retard à l'école et moi au travail.

Emma avise longuement sa chaussette, l'enfile à l'envers et se tourne vers moi.

– Mais pourquoi t'es obligée d'aller au travail ?

Je ne sais pas comment s'inculque le féminisme, comment se transmet la certitude qu'il est aussi important pour une femme que pour un homme de travailler.

J'essaie régulièrement d'expliquer que je dois gagner de l'argent pour payer le loyer, mettre de l'essence dans la voiture ou partir en vacances, tout en évitant soigneusement de préciser que mon salaire sert également à payer des personnes qui élèvent mes enfants à ma place. Lorsque les sourcils de ma fille se rejoignent d'incrédulité, je change de braquet et essaie de lui faire comprendre qu'il est primordial pour une femme de travailler et d'acquérir ainsi son indépendance, sa liberté, que maman aime son métier et a besoin, pour son équilibre, de se réaliser dans une tâche, surtout pour l'intérêt général, le service public.

Quand je suis particulièrement en forme, je déroule la biographie de Simone de Beauvoir, *Le Deuxième Sexe*, l'égalité des droits, embraye sur le droit de vote.

Et invariablement, quand je reprends mon souffle pour conclure sur un « On ne naît pas femme, on le devient » vibrant d'émotion, je suis interrompue par une petite voix :

— Mais pourquoi t'es obligée d'aller au travail ?

Je dois mal m'y prendre.

14 h 05

— J'ai commandé des chemises, m'apprend mon assistante en déposant un paquet rouge sur mon bureau. Et je vous ai trouvé un cadre pour mettre des photos de vos enfants dans votre bureau. Ils sont un peu beaux ou pas du tout ? Parce que c'est pas grave s'ils sont moches. Ma mère avait un chien comme ça. Un bâtard pas beau du tout, mais très affectueux. Ils sont gentils, au moins ?

Amstrad jette un coup d'œil incrédule vers Coralie. Pour mon collègue, une bonne assistante doit être aussi discrète que zélée. Autant dire que Coconne et lui, c'est une affaire qui roule.

— Ça ne vous arrive jamais de frapper avant d'entrer ?

— À la mairie, les gens laissaient leur porte de bureau ouverte, rétorque Coconne avant de tirer une chaise et de s'installer à côté d'Amstrad qui me regarde, horrifié.

— Ici, on travaille, coupe-t-il d'un ton sec avant d'aviser la pile de chemises et de préciser : Et on n'utilise pas de rouge.

— Ah ben, il aurait fallu me le dire avant, je peux pas tout deviner, s'agace-t-elle.

— Comment cela se fait-il que je n'aie pas vu passer le bon ?

— Le bon de quoi ?

– Le bon de commande, voyons, de quel bon voulez-vous que je parle ? Ça fait combien de temps que vous êtes parmi nous ? Deux semaines ? Vous nous avez déjà vus utiliser des chemises d'une autre couleur que bleu ou vert ?

– Oh, mais je n'ai pas réfléchi à ce point-là, s'énerve Coralie.

– La prochaine fois, essayez de réfléchir à ce point-là. Franchement, ce n'est pas bien compliqué, développe Amstrad. Une personne rédige une note et la place dans une chemise bleue. Elle met la chemise bleue dans une chemise verte. Cette note remonte ensuite toute la chaîne hiérarchique jusqu'à arriver sur le bureau de notre directeur. Il la remanie grâce aux différentes remarques apposées sur la chemise verte, puis met la version corrigée dans la chemise bleue avant de la transmettre au cabinet, lequel la remettra au conseiller concerné puis décidera ou non de l'opportunité de la transmettre au ministre.

Si, un jour, on nous envoie un thérapeute pour analyser notre amour des procédures, il risque d'avoir du boulot.

Apeurée par l'odyssée administrative de la note au ministre, Coralie nous lance un regard inquiet, avant de sortir du bureau.

– Bravo. Je ne vais plus pouvoir lui demander quoi que ce soit de toute la semaine.

– Écoutez, Zoé, je ne sais pas comment vous choisissez vos assistantes. Parce que celle-là est bien gentille, mais on ne peut pas dire qu'elle ait inventé la machine à cambrer les bananes.

Dimanche 22 février

14 h 30

Après avoir passé une demi-heure à m'extasier sur les sites de pâtisserie – débauche de pâte à sucre, farandole de glaçage, sculptures de caramel, coulis de toutes les couleurs imaginables –, je conclus sagement que mieux vaut me cantonner à ma spécialité.

J'attrape donc une préparation pour gâteau, la vide dans un plat, réalise qu'il ne va pas au four, transvase la pâte gluante dans un moule adéquat que je pose sur la plaque.

Je suis une – bonne – maman.

– Qu'est-ce que tu fais ? demande ma fille d'un air soupçonneux.

– Un gâteau. Papy vient cet après-midi, je me suis dit que ça ferait plaisir à tout le monde.

– La mère de Fanny, elle casse des œufs pour faire ça, tient-elle à préciser en avisant le plan de travail qui, depuis le départ de leur père, n'a jamais aussi mal porté son nom. Et elle fait des gâteaux en arc-en-ciel.

– La mère de Fanny ne travaille pas.

Contrairement à Élise, ma sœur, je me suis toujours autopersuadée que je n'avais pas fait autant d'études pour faire des gâteaux multicolores à mes enfants.

En théorie.

Parce qu'à chaque fête de l'école, je ne peux m'empêcher de planquer mon gâteau au yaourt derrière les pièces montées joyeusement colorées apportées par les autres parents.

– Ça ne ressemble pas du tout à un bateau de pirates, constate Arthur d'un air dépité. Enzo a apporté à l'école un vrai gâteau de pirates, pourquoi tu fais pas pareil ?

– Je n'ai pas les moules.

Ni la compétence. Ni le temps.

– Moi, j'en mangerai pas de ton gâteau, décrète Emma.

Sympathique, ce petit coup de pelle dominical. À ses côtés, son frère oscille entre l'envie de se rallier à sa sœur et un reste de complexe d'Œdipe.

– Moi, je verrai, finit-il par décider.

– J'ai besoin de finir quelque chose pour Papy, je vous mets Gulli ?

16 h 20

– Mamaaaaaaaaaann, tu pourras m'acheter ce sac à dos ? demande ma fille pendant que son frère, la bouche pleine, hoche la tête avec enthousiasme, vaporisant ainsi sur notre canapé des miettes de chips que je suis bien certaine de ne pas les avoir autorisés à manger.

– Lequel ? Oh...

La preuve éclatante de l'anéantissement total de mes principes pédagogiques vient d'apparaître sur l'écran : Hello Kitty l'idole des enfants, le cauchemar des parents.

– Alors ? insiste-t-elle.

Pas de mon vivant.

– On verra.

Mon père sonne.

Je lui ouvre et pendant qu'il ôte son manteau – « increvable, je mourrai dedans » –, je file à la cuisine préparer le goûter.

J'ouvre le four. Le gâteau au chocolat, censément fondant, ressemble à une bouse de vache séchée.

– Mais qu'est-ce qui s'est passé ici ? demande mon père qui a toujours été parfaitement indifférent quant à la propreté et à la tenue vestimentaire de ses deux filles, mais trouve le moyen de grimacer en voyant les jumeaux essuyer leurs mains grasses sur leur pantalon.

– Il s'est passé que je devais ranger la maison, faire tourner pas moins de trois lessives et finir la note que tu m'as demandée pour ton candidat à la mairie, tu sais le « oh trois fois rien, après tout, tu as du temps », comme tu l'as aimablement fait remarquer et que, pour les occuper, je les ai mis devant la télé.

– La télé ? s'étrangle-t-il, indigné.

Oui, parfaitement, la télé. L'instrument que j'avais injustement diabolisé et relégué au rang de baby-sitter numérique pour parents démissionnaires, suppôt du grand capital et de la société de consommation prompt à laver les innocents cerveaux enfantins. Cette même télé que j'ai couru acheter lorsque j'ai réalisé son pouvoir lénifiant sur les moins de six ans.

On est con quand on est nullipare.

– Jamais ta mère ne vous a collées devant la télé pour vous occuper, rétorque-t-il perfidement.

– Normal, tu passais ta vie devant.

Mars

Hells Bells

« L'interlocuteur me semble, comment dirais-je, un peu rustique, le genre agricole. »

Michel Audiard,
Les Tontons flingueurs

Mercredi 4 mars

Au terme d'une campagne qui a surtout consisté à couvrir d'opprobre et de scandale le candidat adverse pour guider l'électeur vers son champion, l'opposition remporte haut la main les municipales.

Et les prévisions de Paul se réalisent trois jours plus tard.

20 h 00

– *Françaises, Français, mes chers compatriotes. Je m'adresse à vous, ce soir, car c'est un moment capital de notre vie nationale. À l'occasion des dernières élections, par votre vote, vous avez exprimé votre mécontentement...*

– Qu'on lui coupe la tête !

– Non. Donne-moi cette télécommande, il n'est absolument pas l'heure de regarder *Alice au pays des merveilles*, mais celle d'aller se coucher, maintenant.

– *Ce soir, je suis venu vous dire que j'ai entendu votre message.*

— Brûlons-lui les orteils, le nez et les oreilles, et vous verrez qu'il comprendra qu'ici les monstres on n'en veut pas !

— Les dents et au lit !

— *Le gouvernement s'est consacré avec courage et abnégation à d'importantes réformes...*

— Mais j'ai envie de regarder un DVD !

— *Il est temps d'ouvrir une nouvelle étape...*

— Si vous allez vous brosser les dents maintenant, je vous lirai une histoire.

— *J'ai donc confié à Vincent Borel la mission de conduire le gouvernement de la France.*

— C'est nul. En plus, tu nous lis des histoires tous les soirs. Fanny, elle a le droit de regarder des DVD tout le temps. Et elle se lave jamais les dents.

— Eh bien, ça doit être du propre.

— *Ensemble nous devons continuer le long et difficile combat contre le chômage. Les comportements qui font aujourd'hui obstacle à l'emploi doivent évoluer, le dialogue et la concertation nous permettront de trouver de nouvelles réponses. Ensemble, nous devons encourager les créations d'entreprise et les initiatives locales qui font notre richesse...*

— Les dents de lait, elles tombent, alors ça sert à rien de les laver. Et la mère de Fanny...

— Si vous allez vous laver les dents tout de suite, je remplis les papiers nécessaires à votre adoption par les merveilleux parents de Fanny.

— *Ensemble nous devons prendre toutes les mesures qui s'imposent afin que notre système éducatif s'adapte aux exigences de l'entrée des jeunes dans la vie active. Ensemble, nous devons réformer notre justice et la...*

— Mamaaaaan, y a plus de dentifrice à la fraise !

— Sous le lavabo, il y a trois tubes.

— Non, y en a plus.

– J'arrive… Mais enfin, il était sous ton nez. Mais bien sûr que si, c'est un lavabo. Une baignoire ? La baignoire, c'est là où vous prenez votre bain.

– *Voilà pourquoi, mes chers compatriotes, je vous demande de faire confiance à cette nouvelle équipe.*

– Mais l'eau est trop chaude !

– Tourne l'autre robinet, enfin ! Tu sais très bien le faire, d'habitude.

– *Mes chers compatriotes, je vous remercie. Vive la République et vive la France !*

– Mais pourquoi tu veux qu'on aille au lit ? On n'est pas fatigués.

– Moi, si !

Vendredi 6 mars

10 h 35

Paul débarque en salle de réunion, serrant contre son cœur un dossier avec la même ferveur que s'il s'agissait d'un morceau du saint suaire. Il le tapote en hochant la tête avec enthousiasme, avant de nous annoncer :

– Borel est Premier ministre. Je savais que Cournot n'irait pas, je le savais ! Il ne veut pas se cramer pour 2017. Il a bien retenu la leçon Chirac. Bref. La composition du gouvernement sera annoncée cet après-midi.

– C'est pas le même ? s'étonne Coralie dont je décide de ne même pas demander la raison de la présence dans une réunion qui se veut de haut niveau.

– La débâcle de la majorité aux dernières élections, ça vous dit quelque chose ?

41

— La dé... à quoi ?

— Elle demande à quoi ! s'exclame Paul en levant les bras au ciel. Mais sérieusement. Aux municipales, voyons, pas à un match de foot !

10 h 55

Je retrouve mon assistante qui soigne son désarroi sur ventesprivées.com.

— Vous trouvez que je suis pliable, non ? me demande-t-elle, les yeux rivés sur son panier virtuel.

— Pliable ?

— Oui, que je fais pitié.

— Pitoyable.

— Et vous trouvez que je le suis ?... Pourquoi vous répondez pas ? Je le suis, alors ?

— Non. Pas du tout.

— Mais je comprends rien à ces trucs politiques. Et je travaille pour le gouvernement à présent. Il faudrait que je comprenne mieux.

C'est officiel. Dans une vie antérieure, j'étais le mentor de Jack l'Éventreur.

— Quand ça va pas bien, qu'on a du mal à faire passer les lois... (regard vitreux) et que les citoyens infligent... (bouche ouverte), votent pour les partis autres que celui de la majorité... (grimace anxieuse), eh bien le président, il doit nommer des nouveaux ministres... (moue inquiète). Voilà.

Coconne plisse les yeux et secoue la tête.

— Mais pourquoi ?

— Parce que... (arrachage frénétique d'ongles)... c'est comme ça, Coralie.

– Eh bien, vous voyez, quand vous expliquez clairement, là je comprends !

16 h 30

Mon directeur passe une tête dans mon bureau :
– L'Arlésien est nommé ministre de l'Économie et
des Finances.
– Au moins, il ne nous encombrera pas de sa présence. Mon ex-mari a travaillé pour lui quand il était à
l'Écologie et me l'a toujours présenté comme une sacrée
pointure. Jamais au ministère, mais une bête politique.
– Et on récupère Duvalier au Budget.
– Quoi ?
Mon patron me regarde, incrédule.
– André Duvalier, voyons ! Le type qui s'agite dans
les médias depuis des semaines en arguant que les partis sont les instruments de l'oligarchie, qui n'ont pour
principale fonction que de faire gagner les élections et
de diviser le peuple ! Apparemment, c'est un boulimique
de mandats. Le gugusse a fait un véritable buzz pendant
la campagne et a été réélu haut la main dans son bled,
un des rares succès que la majorité peut mettre en avant
dans le désastre. Du coup, il se retrouve secrétaire d'État
au Budget. Je veux que vous épluchiez tous les points
de sa campagne et que vous rédigiez une note expliquant pourquoi respecter ses promesses délirantes mettrait les finances publiques en danger.
– Moi, je le connais très bien, nous interrompt
Coconne dont les yeux cessent soudainement d'osciller
de sa montre à l'horloge murale de mon bureau.

43

Paul refrène son « Eh bien, elle va enfin servir à quelque chose, la gourdasse » et se tourne vers mon assistante.

– Vraiment ?

– C'est MonMaire.

– Qui ça ?

– Ben, MonMaire. Même qu'un jour, il m'a serré la main, aux vœux.

– Coralie, ça ne peut pas être lui.

Non, sérieusement, ça NE PEUT PAS être LUI.

– C'est forcément un homonyme. Vous avez une photo ?

Paul pianote sur son clavier et déniche sans effort une photo de notre nouveau boss : les élus, quels qu'ils soient, se sentent handicapés s'ils n'offrent pas leur portrait – généralement daté de dix ans ou, à tout le moins, photoshopé à mort – à la contemplation du public.

Adieu, monde cruel. C'est LUI. C'est le Don.

– Vous avez forcément dû voir ce type pérorer, reprend Paul pendant que j'essaie de me souvenir de l'endroit où j'ai planqué ma tablette de Lexomil.

– Ah, mais je l'ai même vu de très près.

– Coralie a raison : c'est son maire. C'était le mien aussi...

– C'est fantastique, s'emballe Paul.

Fantastique, voilà exactement le mot que je cherchais.

– Vous n'avez pas idée de ce qui nous attend. Il faut que vous lui trouviez un dir' cab béton.

Et idéalement un sosie doté, lui, d'un cerveau pour faire illusion.

À ceux qui penseraient naïvement que le ministre des Finances, éminent personnage nommé par le Premier ministre, choisit son équipe, laissez-moi vous détromper tout de suite : à Bercy, les directeurs proposent leur lauréat et si le ministre a l'outrecuidance de vouloir s'entourer d'une personne non issue du sérail, c'est la volée de bois vert. Le Cabinet constitue avant tout notre principal outil de contrôle du ministre.

– Pierre de Montmaur, mon ancien cothurne, serait le candidat idéal. Il est compétent et passionné par le service public. Ce serait un miracle qu'il accepte, conclut mon directeur sans mentionner que cet être d'exception, désintéressé et uniquement habité par l'amour de l'intérêt général, a toujours réclamé des salaires si élevés que le traitement de son ministre faisait figure d'argent de poche à côté.

– C'est génial que MonMaire devienne ministre, piaille Coconne. Si ça se trouve, il va venir avec toute son équipe !

Faites-la taire, elle va nous porter la poisse !

Mardi 10 mars

16 h 05

S'éclipser du bureau avant dix-huit heures nécessite de choisir entre : 1. le déplacement dit « Égyptiens sur papyrus » (dos au mur en catimini), 2. le « rendez-vous à l'extérieur » (trois dossiers sous le bras, l'air grave et concentré) et 3. la sortie décomplexée accompagnée de son lot de salutations enthousiastes. Cette dernière option étant généralement soigneusement préparée en amont à coups d'allusions à un burn-out certain et d'une liste d'obligations familiales à faire pâlir une mère de quadruplés.

45

Je n'ai jamais osé opter pour les deux dernières solutions.

Et, évidemment, je n'ai pas fait trois pas en direction de l'ascenseur que j'entends une voix outrée.

— Serait-ce une de ces atroces poupées Barbie que je vois dans votre sac ?

Herr Kaiser n'a pas d'enfants, ce qui ne l'empêche pas de consacrer une bonne partie de nos conversations à me faire réaliser à quel point j'élève mal les miens.

Avant d'accoucher, j'avais une vision parfaitement claire de l'éducation que je voulais dispenser à mes jumeaux. Un plan imparable, savamment orchestré à partir des lectures dont je m'étais gavée pendant ma grossesse. Ces deux-là seraient deux prix Nobel, épanouis, sportifs et bien dans leur peau.

Puis ils sont nés et j'ai revu mes ambitions à la baisse. S'ils arrivaient en un seul morceau à l'école maternelle, ce serait déjà merveilleux.

— Vous partez déjà ? demande-t-elle en regardant sa montre d'un air incrédule.

Notre responsable de la communication a l'étonnante capacité de vous donner l'impression d'être à la fois incompétente, inculte, et sans intérêt pour la société. Naviguant perpétuellement entre froideur et hystérie sans que rien n'explique la transition de l'une à l'autre, elle a pour habitude de se lancer dans d'improbables démonstrations visant uniquement à rabaisser son interlocuteur.

— Vous n'imaginez pas le mal que vous faites à votre fille et aux femmes en général en achetant ce type de chose, assène-t-elle, reniflant d'un air pincé en direction de la poupée en plastique qu'Emma m'a confiée pour la journée en m'expliquant que si je m'ennuyais, je pourrais toujours essayer de démêler sa tignasse.

– Je dois effectivement sous-estimer l'ampleur de mon forfait, mais là, je pars récupérer mes enfants à...

– Les jouets catégorisent les enfants. Évidemment, comme vous pouvez le deviner, ou pas, du reste, ce n'est jamais en faveur des femmes. Les filles sont invitées à cultiver l'intime et le relationnel. Seuls les garçons se voient attribuer une place active dans la société.

La philosophie d'Herr Kaiser pourrait se résumer à un vibrant « c'est un scandale ».

Membre éminent de la Brigade de la moralité, elle a un avis sur tout et prend un air consterné en constatant que tel n'est pas mon cas. Pour me rallier à sa cause, elle se lance invariablement dans de longs discours passionnés et incompréhensibles, qu'elle terminera au choix par un catégorique « nous sommes d'accord » ou un « vous voyez ce que je veux dire » lourd de sous-entendus.

Son indignation d'aujourd'hui ? Les panneaux des toilettes de l'aéroport d'Orly et leur pictogramme, ô combien offensant, présentant une femme penchée sur une table à langer.

– Ce panneau symbolise tristement la répartition des tâches dans une société patriarcale.

– Vous avez parfaitement raison, mais je dois aller chercher mes enfants à la maternelle.

– Ne dites pas « maternelle », mais « première école ». Il est impératif de neutraliser d'une certaine manière la charge affective de ce mot, s'agace Herr Kaiser.

– Il n'empêche que je dois aller les récupérer

– Vous ne semblez pas bien réaliser que ces panneaux ont été récemment posés, reprend-elle d'une voix étranglée de colère. Il ne s'agit nullement des vestiges d'une idéologie passée ou d'un traditionalisme culturel ancien mais d'une résurgence contemporaine d'un conservatisme dépassé. Si je pouvais, je boycotterais cet aéroport !

— Je le conçois parfaitement, mais là, il faut vraiment que j'y aille.

— À seize heures ? Vous avez pris votre après-midi ?

16 h 29

Je jaillis du bâtiment, négocie un virage serré et commence un slalom frénétique entre poussettes et passants. Lorsque j'arrive devant l'école, mes poumons sont en feu et ma chemise trempée de sueur.

À une dizaine de mètres, patiente le groupe de mères parfaites gratifiées d'une progéniture exemplaire qui leur fournit un sujet de conversation inépuisable. Comparée aux multiples allergies dont leurs enfants sont évidemment les victimes, la Révolution française est un non-événement.

Cinq minutes d'attente avec elles devant le portail de l'école me donnent toujours l'impression d'être totalement défaillante.

Aujourd'hui, la mère de Foulques-qui-n'aime-ni-le-Coca-ni-les-frites-ni-les-bonbons, cinq ans et deux tailles de pantalon de moins que moi, expose à la cantonade le nouveau régime sans gluten qu'elle a décidé de faire suivre à toute la famille et s'épanche sur les mérites comparés du quinoa et du sarrasin.

Elle m'aperçoit, s'excuse et fond sur moi pendant que je fouille dans mon sac à la recherche du paquet de madeleines achetées au distributeur du bureau une heure plus tôt.

— Mon Dieu, mais ça fait une éternité que nous ne nous sommes pas vues ! claironne-t-elle avant de rajouter perfidement : Les jumeaux vont être tellement contents que leur maman ait enfin pu se libérer pour venir les chercher.

– Comment vont Foulques et...

Dans un élan de créativité, certainement dû aux effets secondaires de ses péridurales, Marielle a affublé ses rejetons de prénoms médiévaux dont je suis incapable de me souvenir précisément.

– Azalaïs, réplique-t-elle d'un ton pincé. Nous l'avons inscrite à des cours de chinois, elle nous épate tous les jours ! Et Foulques excelle à l'alto.

– Ah.

– Mon Dieu, soupire-t-elle en tapotant un ventre plus plat que le mien avant la puberté. Nous étions invités à une garden-party dans le Sud ce week-end, j'ai été tellement déraisonnable qu'il va falloir que je me reprenne rapidement, sourit-elle avant de lancer un regard qui me donne envie de lui coller un entonnoir dans le bec et d'y verser du saindoux fondu.

Emma et Arthur arrivent en courant et se jettent sur moi comme s'ils ne m'avaient pas vue depuis trois mois.

– Il y a eu une séance de gymnastique imprévue ? interrompt Marielle avec inquiétude.

Mon fils a la joue barrée de deux traits de feutre et l'air d'avoir participé à un combat de catch dans la boue. Le collant de sa sœur est déchiré.

– Probablement pas.

– C'est fou comme certains enfants ont besoin de se défouler à la récréation, rajoute-t-elle généreusement, avant de préciser que Foulques, lui, a besoin de calme et de concentration pour assimiler ce qui lui a été enseigné pendant les heures de cours.

Little Bouddha débarque, tiré à quatre épingles. En un mouvement de main, sa mère le débarrasse de son cartable et lui tend une brique de lait de soja. La paille y est déjà.

Je les regarde s'éloigner en n'arrivant pas à me décider si je dois être admirative ou effrayée.

– Ça a l'air tellement naturel, facile et abouti, s'étonne une voix derrière moi.

Gaëlle, dont le fils de deux ans se traîne par terre pendant que l'aînée tourne sur elle-même en chantant – faux – *Le Roi Lion*.

– Mais c'est ça ! Une sorte de chorégraphie de la perfection maternelle. Elle a l'air tellement...

– Adulte.

– Exactement.

– Je propose qu'on aille se boire un petit café chez moi, entre mères indignes...

– On se lamentera sur notre imperfection maternelle ?

– Évidemment !

Mercredi 11 mars

10 h 00

Auréolé de sa couronne gouvernementale, le Don, une file de hobereaux endimanchés sur ses talons, semble avoir perdu toute retenue et, à peine franchi le palier de la salle de réception, lève les bras en signe de victoire.

Le pouvoir, c'est comme les films d'horreur : sur un public fragile, ça peut avoir des effets dévastateurs.

– Quelle consécration, mais quelle consécration ! L'étape décisive d'une carrière politique brillante, sans tache ! C'est un hommage aux réalisations incontestées menées dans ma ville et la reconnaissance de mon génie politique.

Ou la preuve irréfutable que nous sommes coincés dans la Matrice.

Pendant que l'inévitable brochette des directeurs et chefs de service se tasse derrière une rangée compacte de journalistes et photographes dans la salle de réception du septième, le ministre viré avise d'un air inquiet son successeur euphorique et le félicite en serrant les poings, non sans insister sur l'ampleur de la tâche qui l'attend.

Alors qu'il n'a jamais pu sacquer aucun d'entre nous, le voilà qui se répand en compliments dans un improbable discours d'où il ressort clairement que nous avons été la plus merveilleuse équipe avec laquelle il lui ait été donné de travailler. Sa mission est aussi passionnante qu'ardue, mais il pourra s'appuyer sur les fonctionnaires de cette grande maison, dont la compétence et le dévouement à la chose publique ne sont plus à démontrer et qu'il remercie. Paul lève les yeux au ciel lorsque notre ancien patron conclut par un navrant : « Bon vent sur cette mer mauvaise, mais le navire que je vous laisse sait résister au gros temps et son équipage est aguerri. Je vous souhaite de réussir car votre succès serait celui de la France. »

Les appareils photo, les caméras et les micros tourbillonnent maintenant autour du Don qui s'efforce de prendre un air pénétré, le regard perdu dans l'immensité de son potentiel d'Homme d'État.

– Je mesure toute la grandeur de la mission que m'a confiée le Premier ministre. Et toute sa difficulté aussi. Vous avez dit que la mer était grosse, mauvaise. Je le sais. Que le navire était bon. Peut-être. Mais je suis son nouveau capitaine et j'entends bien qu'il fasse autre chose que ne pas couler. Éviter le naufrage, ce à quoi se sont limités tant d'autres, n'est pas mon ambition. Moi, je veux conduire le bateau à bon port. Et pour cela je prendrai des mesures novatrices qui bousculeront peut-être de vieilles habitudes et d'anciennes pesanteurs. Je ne reprends pas la barre d'un vieux rafiot rafistolé, je vais en faire un neuf, capable de servir à ce pour quoi il a été créé. L'équipage, dont je ne doute pas de la compétence et du dévouement, devra apprendre de nouvelles règles, selon un seul mot d'ordre : travailler et servir. Nous allons d'ailleurs nous y atteler immédiatement. C'est pourquoi je vous salue, mon cher Jean Gauthier, et vous souhaite un bon retour et un repos bien mérité dans votre pittoresque ville. C'est aussi pourquoi je demande aux agents du ministère présents de regagner sans délai leurs postes, en leur précisant que le temps consacré à cette cérémonie n'est pas considéré comme temps de travail.

Paul me lance un regard horrifié avant de chuchoter que cette fois, c'est sûr, on a touché le fond, Herr Kaiser grimace un sourire, Coconne murmure qu'il était moins pointilleux sur les horaires quand il était à la mairie.

Poignées de main, sourire Émail Diamant, vœux de sincère réussite. Bienvenue en politique, ce monde parallèle où Sherlock Holmes et le Professeur Moriarty peuvent finir meilleurs amis du monde.

Derrière lui, un éléphanteau boudiné dans un tailleur n'en peut plus de bonheur : la nièce du Don, l'élément le plus néfaste du cabinet de la mairie, le Gang des Chiottards.

Alix, le retour.

Lundi 16 mars

14 h 30

Je confirme ma présence à trois réunions a priori inutiles et réponds à une dizaine de mails. Je vérifie aussi que tous les éléments du dossier que l'on va présenter à notre nouveau maître sont dans l'ordre idoine.

Coralie souligne les jours fériés dans son agenda et vient me voir toutes les deux minutes pour savoir si elle peut poser des congés pour se fabriquer une noria de ponts dans les semaines à venir.

— Je vous avais demandé d'imprimer la dernière version de la note de synthèse du dossier ministre. Où est-elle ?

— Le problème, c'est que vous me mettez trop la pression.

— Moi ? Moi, je vous mets trop la pression ?

— Rien qu'aujourd'hui, j'ai réceptionné trois sortes d'enveloppes et je les ai classées par taille, alors non, je n'ai pas eu le temps d'imprimer vos documents. Et n'allez pas dire que je ne fais rien, parce que d'abord, qu'avez-vous fait, vous ?

— Comparé à l'énorme travail que vous avez fourni, l'inventaire de ma journée paraîtrait trop fade.

15 h 30

— Mais qu'est-ce qu'elle fait là ? s'étrangle Paul en avisant Coralie qui transporte une partie des classeurs du dossier ministre que j'ai fini par me résoudre à photocopier moi-même.

— Elle porte les dossiers, elle, rétorque mon assistante de choc d'un air pincé pendant que je promets à mon directeur qu'elle n'ouvrira pas la bouche et se contentera de prendre des notes.

La nouvelle secrétaire du Don nous gratifie d'un regard de pitbull.

— C'est pour quoi ? grogne-t-elle.

— Bonjour madame. Paul Brochard, directeur du Budget. Mes collègues et moi avions rendez-vous à quinze heures trente avec Monsieur le Ministre.

Coconne m'attrape le bras.

— Il est ministre ou secrétaire ?

— Moins fort ! peste Paul en la fusillant du regard. Il est secrétaire d'État, mais on l'appelle « Monsieur le Ministre ».

L'évocation du titre de son patron fait sur sa secrétaire l'effet d'un électrochoc : elle perd instantanément dix centimètres et quarante décibels. Monsieur le Ministre l'a informée de notre venue. Monsieur le Ministre est très occupé en ce moment. Pouvons-nous patienter pendant qu'elle prévient Monsieur le Ministre ?

Pendant que Coralie maugrée que l'autre faisait moins sa fière quand elle lui taxait de la monnaie pour le café à la mairie, la dévouée assistante de notre nouveau secrétaire d'État, toujours courbée par le poids du respect, frappe légèrement à une lourde porte qu'elle entrebâille juste assez pour laisser passer une tête dégoulinant de déférence, puis se recule en l'ouvrant, nous invitant à entrer d'un solennel « Monsieur le Ministre va vous recevoir ».

— Pourquoi ils ont laissé une pièce pleine de vieilleries ? Ils n'ont pas fini la déco ? s'étonne Coralie en avisant l'improbable ameublement Empire du nouveau ponte du Budget.

— Ces vieilleries, comme vous les nommez, sont des meubles Napoléon Ier apportés par Michel Charasse lui-même, explique Paul avant de soupirer : Je ne vois pas pourquoi je me fatigue, vous ne savez probablement même pas de qui je parle.

— Je ne suis pas censée connaître les noms de vos déménageurs, se défend Coralie avant de se rengorger : Vous avez vu, c'est MonMaire !

Affalé dans un fauteuil, MonMaire affiche un air de béatitude post-prandiale, qu'il entretient en faisant délicatement tourner dans sa paume un verre de cognac d'un âge certainement fort respectable, à en juger par les soupirs extatiques qu'il laisse échapper, les yeux perdus au ciel, chaque fois qu'il en offre les effluves à son nez en fraise.

Après nous être livrés aux salamalecs d'usage, nous prenons place autour de l'immense table de réunion du bureau.

— La table de travail de Cambacérès, le codificateur, murmure Paul en caressant le bois d'un air radieux.

— Je n'ai pas la mémoire des noms, s'excuse le Don en s'arrachant à regret à sa communion avec la fine fleur des distilleries charentaises. Je crois que votre Cambamachin m'a dit qu'il me la laissait.

Paul accuse le coup.

— Il est mort...

— J'en suis désolé, mais je vous avoue que ça me retire une belle épine du pied. Je vais pouvoir garder la table, c'est toujours utile.

— ... en 1821.

– Déjà que je n'ai pas eu le temps d'aménager le bureau à mon goût, reprend le Don sans relever, juste quelques photos de famille. C'est important, la famille.

Parader dans son rôle de père de famille est pour un homme un signe de force. Lorsqu'un de mes collègues masculins annonce en pleine réunion qu'il doit s'éclipser avant la fin parce qu'il a promis à Édouard que Papa irait le voir à sa compétition de natation, il est porté aux nues.

Si j'annonce que je dois partir tôt pour emmener Arthur en urgence chez le pédiatre, je suis immédiatement condamnée pour manque d'organisation, irresponsabilité et investissement professionnel insuffisant. Quant à celles qui osent faire mine de privilégier leur carrière, elles sont à la fois détestées par les hommes – *si ma femme faisait élever Charles et Chloé par une nourrice, je demanderais immédiatement le divorce. Les enfants ont besoin de leur mère, pas d'une étrangère* – et par les femmes – *quelle égoïste, elle ne pense qu'à sa carrière !*

Le combat pour l'égalité des sexes a encore de beaux jours devant lui.

– Et bien sûr, j'ai gardé tout ce qui concernait la campagne, le terrain…

D'un air satisfait, le Don nous désigne une table basse en bois de rose sur laquelle sont exposés, soigneusement plastifiés et présentés en éventail de manière à bien s'offrir à la vue du visiteur, les articles que les journaux lui ont consacré ces dernières semaines.

Comme tous les candidats en campagne, MonMaire a quémandé l'attention de la presse avec l'ardeur d'un jeune amant. Les souvenirs de leur idylle sont exposés comme des trophées.

– Vous vous êtes beaucoup investi et ça a payé, glisse Paul dont les mâchoires serrées indiquent clairement

que parler décoration avec son ministre le gonfle pro-
digieusement.

Ravi de pouvoir gloser sur un sujet qu'il maîtrise particulièrement – lui, sa vie, son œuvre –, le Don se lance
dans une insupportable hagiographie qu'il entrecoupe
pour boire son cognac, marquant son approbation du
signe de tête entendu de l'œnologue certifié. Pour aller
à la pêche aux voix, il y est allé.

– Ah, ça, c'était dans les derniers temps de la campagne, raconte le Don en tapotant une photo. C'est
qu'il faut aller les chercher, les voix, elles ne viennent
pas toutes seules. Il faut dire que mes 64 %, je les ai
bien mérités. À quinze voix près, je passais même au
premier tour. Mais c'est mieux comme ça. C'est, comment dire, plus glorieux…

Effectivement, candidat dans une ville où aucun parti
adverse n'a jamais dépassé les 20 %, c'est digne d'Aus-
terlitz.

– Voyez-vous, reprend-il doctement, dans une campagne, les idées comptent, bien sûr, mais c'est le bon-
homme qui fait la différence. Et pour ça il faut aller
voir les gens, « faire du terrain » comme on dit. Pour
sûr, ce n'est pas toujours facile, il faut toujours être
souriant, alors qu'on est crevé, et puis boire et manger
des trucs dégueulasses en disant que c'est bon. Mais
l'électeur, il veut savoir pour qui il vote et il préfère
voter pour un type sympa, proche de lui, avec qui il
peut boire un coup plutôt qu'avec un intello qui lui fait
un cours. C'est ça, l'électeur est un grand enfant qui
n'a pas envie de retourner à l'école.

Son visage s'épanouit d'un large sourire de satisfaction : la formule est bonne, penser à la resservir en petit
comité.

– Enfin, ce n'est que la première marche de l'ascension, conclut-il avant de se tasser dans son siège et de bâiller longuement.

Apparemment, l'autocélébration, ça fatigue.

– La première marche de quelle ascension ? me souffle Paul d'un air horrifié.

– La quoi ? s'insurge Coconne, sortant le Don de sa torpeur. Vous pouvez pas parler plus fort ? J'ai rien entendu !

– On ne s'est pas déjà croisés quelque part ? Votre visage me rappelle quelque chose, me demande le Don avant de claquer dans ses doigts et de s'exclamer : Août 2012. Le Marbella Club Hôtel ! Vous y étiez prof de tennis !

Il ne m'a jamais vue une raquette entre les mains.

– Pas du tout, désolée.

– Il y a déjà des parapheurs ? s'étonne tout à coup MonMaire, avisant les piles de chemises sur la table.

Un bon mètre de dossiers répartis dans quatre énormes classeurs.

Le fameux dossier « ministre ». Un diagnostic de la situation, les réformes proposées vaguement remises à la sauce politique du parti au gouvernement et une note de synthèse qui sera le seul document lu, ou tout au moins feuilleté, par le politique.

L'arme du directeur pour contrôler son ministre.

Un drame en trois actes.

Le premier expose l'état catastrophique des finances publiques : dans un immonde verbiage où deux acronymes encadrent un anglicisme, Paul insère le mot « crise » et « dette » à intervalles réguliers, puis agite le spectre de Bruxelles, la Commission Fouettarde et le taux de prélèvement obligatoire si élevé qu'il s'étonne que les Français ne soient pas plus souvent dans la rue.

C'est bien simple, il ne voit pas comment nous avons pu éviter un *Bowling for Columbine* version Bercy.

À cette mise en bouche succède une rapide transition qui pourrait se résumer en « nous sommes dans une merde noire, mais nous avons parfaitement conscience que ce n'est pas votre faute ».

Puis, Paul enchaîne sur l'Acte II destiné à transformer la situation de grave en désespérée. Il déroule un Power-Point blindé de chiffres et de graphiques aussi austères qu'ésotériques.

La sentence tombe : il est illusoire de penser, ne serait-ce qu'un instant, que nous avons une quelconque marge de manœuvre sur les finances publiques !

– Aucune ? demande le Don d'une voix distraite en lissant le cuir de son sous-main.

– Rien, martèle Paul.

À ce stade, tout animal politique normalement constitué se tord les mains de désespoir, comme s'il venait de réaliser que les promesses, faites la main sur le cœur lors de la campagne, reposaient sur du sable.

Ce qui, ne nous voilons pas la face, est évidemment le cas.

Paul joue alors sa scène culte, la grande de l'Acte III-on-s'occupe-de-tout. Empathique : il comprend les craintes du ministre, il n'aimerait pas être à sa place. Vraiment pas du tout. Volontaire, il se propose de l'aider : les services ont, sous sa direction, bâti une feuille de route, un dossier complet sur la politique à mener.

Surtout qu'il ne s'inquiète pas pour ce qui est technique, nous nous occupons de tout. C'est bien simple : on lui demande juste de signer en bas des documents qu'on lui prépare et de lire des éléments de discours sur lesquels nous allons travailler jour et nuit.

Le Don observe ses ongles avec attention avant de rendre son verdict :

– Je pense à ce que vous avez dit sur les marges de manœuvre. Je vous trouve bien défaitiste, mais heureusement, ce n'est pas à un vieux singe qu'on apprend à faire la grimace. On va débloquer les crédits, voilà tout, décide le Don qui, de toute évidence, fait partie de ces doux rêveurs persuadés que nous avons dans nos placards un Livret A national king size qui n'attendait que lui pour être craqué.

– Monsieur le Ministre, nous sommes en déficit. Ce que vous appelez « débloquer les crédits » signifie « creuser la dette », recadre Paul.

Le Don balaye sa remarque d'un revers de main.

– Tout de suite les grands mots ! Nous ne sommes pas dans la situation grecque ! Je tiens à vous le dire tout de suite : je ne laisserai pas les agences de notation dicter ma conduite, déclare le Don. De toute façon, AA+, Aa1, AA, ça ne veut rien dire. C'est comme les notes qu'on met aux gosses ou aux fonctionnaires.

– Si je puis me permettre, cela veut tout de même dire qu'une baisse de la notation risquerait de faire monter les taux d'intérêt et d'alourdir de plusieurs milliards d'euros par an la charge de la dette, explicite Paul.

– Avec vous, les technocrates, tout relève de comptes d'apothicaire. En tant que secrétaire d'État du ministère le plus puissant de la République, je vous le dis : tout ça, c'est pas une question budgétaire. C'est un débat phi-lo-so-phique. Mais vous verrez tous ces détails avec mon cabinet, s'agace-t-il alors que son regard erre désespérément de son verre vide à la bouteille. Vous avez fini, maintenant ? Parce que je n'ai pas que ça à faire, moi. J'ai des res-pon-sa-bi-li-tés. Secrétaire d'État au Budget, vous ne savez pas ce que ça représente comme travail !

– On part déjà ? s'étonne Coralie que je pousse vers la sortie en promettant à Paul que plus jamais je ne l'emmènerai quelque part.

– Je crois que ce con n'a pas compris qu'il était arrivé à son seuil d'incompétence, fulmine mon directeur. Vous avez entendu comme moi ? Il a bien parlé de « première marche de son ascension » ?

Je confirme.

– Enfin, conclut Paul, celui-là ne sera pas acculé à la démission pour cause de comptes en Suisse. Je doute qu'il ait été capable de s'en faire ouvrir un en France !

Vendredi 20 mars

15 h 05

Entassés dans la salle de réunion, nous regardons Paul faire des longueurs dans la pièce et s'arrêter tous les dix pas pour lâcher un sonore « c'est pas possible », taper sur la table et repartir de plus belle.

– Je ne le dis pas souvent. D'ailleurs, il ne me semble même pas l'avoir dit lorsqu'on a perdu notre triple A, mais là, on est au fond du trou, annonce Paul. Son cabinet, c'est la catastrophe.

En voilà un qui a fait connaissance avec le Gang des Chiottards.

– Tu râles uniquement parce que tu n'as pas pu imposer Pierre comme dir' cab, déclare Herr Kaiser. Et ce n'est pas un mal. Je sais qu'il a réussi une très belle série de dissertations quand il avait vingt ans et sait s'aplatir devant les politiques mieux que quiconque, mais cet intrigant est aussi verbeux qu'inutile. Il est où, du reste ? Normalement, il s'incruste dans toutes les réunions.

— Probablement enfermé dans son bureau, à téléphoner à la nouvelle équipe pour l'assurer de son implacable loyauté.

Amnésie et confidentialité sont les principales alliées dans la course de Pierre de Montmaur au poste de directeur de cabinet. Car cet incontournable conseiller technique passe de libéral à interventionniste sans scrupule entre deux élections, ce qui lui vaut d'occuper ce poste depuis des décennies.

Il le garantit, il a toujours été un fervent partisan de – insérer la pensée politique du nouveau lauréat – et s'est toujours opposé farouchement dans la limite de ses fonctions (car, tel Médor courant vers son maître, la babine enthousiaste, Le Marquis, son surnom dans les couloirs, est loyal et fidèle) à cette politique de gabegie, de dépenses inconsidérées, d'assistanat – reprendre les critiques émises par l'opposition d'alors...

— La cerise, c'est cette Alix, reprend Paul. Cette péronnelle m'a traité d'énarque, peste-t-il.

Ce qui m'étonne est qu'elle sache ce que c'est.

— Alors qu'elle n'a aucun des diplômes permettant ne serait-ce que de se présenter à un CAP de coiffure.

— Le directeur de cabinet, c'est *notre* tour de contrôle. Et avec cette fille, nous allons droit dans le mur. À Bercy, le Cabinet, c'est *notre* chose, *notre* outil de pression sur le ministre ! Leurs membres sont *à nous*, ce sont *nos* agents infiltrés, *notre* cinquième colonne ! C'est *nous* qui avons la compétence, à la fin ! Merde ! conclut Paul.

– Nous sommes là pour définir le story-telling du secrétaire d'État, l'interrompt Herr Kaiser en faisant claquer un épais dossier sur la table de réunion. C'est un énorme travail. Parce qu'on part de zéro.

Je confirme : le Don n'a jamais réussi à faire la moindre ébauche de quoi que ce soit qui puisse lui valoir la reconnaissance de la Nation.

– Je pense mener une communication en osmose avec son action, continue-t-elle. Je souhaite qu'il incarne la rigueur budgétaire à laquelle aspirent les Français, ce qui lui permettra de réussir la symbiose parfaite entre les idéologies de droite et de gauche. Bref, je vais faire de Duvalier un homme de conviction doté d'une ligne politique solide.

Cette femme est une grande idéaliste, finalement.

Parce que tout miser sur le charisme et les facultés oratoires du Don me semble assez casse-gueule.

– Je peux développer la mythologie du petit maire de province devenu ministre, mais il faut aller au-delà.

– Lui façonner l'image d'un sportif serait sans doute pousser le bouchon un peu loin, mais un cinéphile ou un amateur d'art serait facile à faire gober, propose Paul.

– Ce n'est pas vendeur. On ne doit pas présenter nos politiques comme des élites, les gens doivent pouvoir s'identifier.

– Dans ce cas, divisons son salaire par quatre et faisons-le se déplacer en métro, propose Paul avant de glousser de sa propre plaisanterie.

Herr Kaiser se penche par-dessus la table de réunion et réajuste ses lunettes d'un geste sec.

– Je vous signale que je dois transformer en temps record Robert Bidochon en Clemenceau. Je n'ai pas le temps de plaisanter.

— On n'a jamais fait d'un percheron un cheval de course, crois-moi, objecte Paul.

— Pour le savoir-faire, non, c'est ta partie. En revanche, concernant le faire-savoir, on peut le transformer en cador. Ça s'appelle la communication. Mais au risque de me répéter, ce type est totalement inconsistant.

— C'est MonMaire, quand même, proteste Coconne qui revient apparemment de sa pause clope-café-toilettes-café.

— Coralie, que faites-vous là alors que je vous ai demandé d'imprimer les dossiers de préparation de notre réunion avec le Cabinet ?

Pour la dictatrice avec laquelle mon patron a marché jusqu'à l'autel, toute femme de moins de soixante ans et de quatre-vingt-cinq kilos est une dangereuse ennemie personnelle susceptible de lui ravir son époux. Coralie est celle d'aujourd'hui.

Cela dit, un type qui porte des nœuds papillon écossais et des chaussettes assorties n'est pas forcément celui sur lequel la gente féminine va se précipiter, mais je doute qu'elle soit réceptive à ce genre d'argument.

— Je suis en pause, réplique mon assistante de choc en haussant les épaules.

— Ne vous plaignez pas de monter les échelons à l'ancienneté ! Il faut réussir à remplir vos objectifs.

— Bah, moi, mon objectif, c'est la retraite, déclare notre assistante avant de repartir en marmonnant qu'elle a lu un article sur le burn-out et qu'elle sent bien qu'elle commence à en avoir les symptômes.

— Où est Amstrad ?

— En arrêt, mais il m'a envoyé tous les documents. Il a rédigé huit notes béton.

— Et il a quoi, cette fois ? s'impatiente Paul.

Je hausse les épaules car nous savons tous les deux qu'Amstrad n'a rien sinon une crise de phobie aux changements qui se préparent.

— Zoé, il faut être ferme avec lui.

Rien ne me plaît autant que d'entendre le mari d'Herr Kaiser évoquer le concept de fermeté.

— Dites-lui que, même s'il n'est plus qu'une métastase géante, vous le sommez de rappliquer immédiatement au bureau, ajoute Paul.

— Ne restez pas plantée là, vérifiez que votre assistante fait ce que je lui ai demandé ! s'exclame Herr Kaiser dont le ton me dissuade immédiatement de rétorquer que ni Coralie ni moi ne sommes censées travailler sous ses ordres.

Paul me lance un regard tétanisé et je file rejoindre notre assistante occupée à expliquer à la photocopieuse qu'Herr Kaiser n'avait qu'à pas lui demander son avis si elle n'était pas prête à l'accepter.

— Votre avis sur quoi ?

— Elle est vexée parce que je lui ai dit qu'elle avait le même pantalon que Gérard Depardieu dans *Mission Cléopâtre.*

— Vous lui avez dit que son pantalon à 350 euros ressemblait à celui d'Obélix ? Mais qu'est-ce qui ne va pas chez vous ?

— Mais elle m'a demandé ce qu'*honnêtement* j'en pensais, se défend Coconne.

— Quand Herr Kaiser vous demande de penser *honnêtement,* vous devez comprendre qu'*honnêtement* n'est qu'une décoration dans la phrase. Elle se fiche de votre avis. Elle veut que vous partagiez le sien.

— Puisque c'est comme ça, ce soir, je pars à seize heures, rétorque Coconne, comme s'il s'agissait d'un événement exceptionnel et non d'une habitude quotidienne. Et vous serez tous bien embêtés sans moi. Ça m'ennuie juste un peu pour vous.

— Nous allons partir ensemble, je dîne chez ma sœur et mon beau-frère ce soir.

17 h 30

De retour à la maison, je m'arrose de shampoing et caresse l'idée d'appeler ma sœur pour lui dire que je suis au regret de décommander le dîner de famille.

J'imagine Élise hyperventiler, se plaindre de mon immaturité légendaire, geindre qu'elle est la clé de voûte de cette famille qu'elle porte à bout de bras depuis qu'à soixante ans notre mère a eu l'idée saugrenue de divorcer.

Lorsque j'arrive dans le salon, je constate que les jumeaux ont manifestement mis à profit ces quinze minutes pour étaler l'intégralité de leurs jouets dans le salon.

— On part dans cinq minutes, enfilez vos bottes.

— Mais maman, s'insurge Arthur. On ne peut pas partir maintenant, on n'a pas joué !

— Vous jouerez avec vos cousins.

— Mais leurs jouets sont nuls. Louis n'a même pas de console.

— Officiellement, vous non plus. Je vous rappelle que Papa et moi avons accepté de vous offrir des DS à Noël uniquement si vous n'en parlez pas. Donc si Tatie vous demande…

— … Nous avons eu des jeux éducatifs issus du commerce équitable, récite Emma. Et des livres.

Élise est mère au foyer et pétrie de certitudes. Elle me demande toutes les semaines quand je vais déménager pour que les enfants aient enfin chacun leur chambre « et du bon air à respirer plutôt que le dioxyde de carbone de la capitale », et ne peut s'empêcher de m'envoyer des mégaoctets de recettes de cuisine « super faciles, tu verras, les enfants vont adorer » qu'elle accompagne généralement de sa touche personnelle : un texte à haute teneur en culpabilisation où se côtoient les spectres de la malbouffe, du cholestérol et de l'obésité infantile.

Le classeur dans lequel j'ai la faiblesse de compiler ses recettes me nargue dans la cuisine, près du micro-ondes où je décongèle quotidiennement nos dîners.

Ce n'est pas de la mauvaise volonté de ma part, mais sérieusement, comment une recette de cuisine « super facile » peut-elle prévoir de « déglacer » un truc déjà chaud ?

– Et à midi, vous avez mangé quoi ?

– Du gratin de brocoli et des yaourts faits par maman, répond son frère.

– Les brocolis, c'est vert, précise sa sœur.

– Vous êtes les meilleurs, mes chéris.

18 h 20

Nous descendons du RER lorsqu'un hurlement nous fait sursauter.

Ma sœur.

Deux jeunes enfants et la construction récente d'une piscine dans son jardin ont conféré à ses cordes vocales une étonnante puissance. Assurée d'avoir attiré mon attention – et celle de tous les voyageurs du quai –, elle se lance dans une étonnante chorégraphie destinée à nous enjoindre de courir vers l'arrêt minute pendant qu'elle y récupère sa voiture.

Après nous avoir embrassés méthodiquement et opéré une discrète inspection de l'état des jumeaux, elle entre dans le vif du sujet :

– Le plan « paëlla » est annulé. Nous partons demain matin pour La Baule et le chargement a pris trop de retard, je n'ai eu le temps que de faire du potage, deux tartes salées, une salade composée et un tiramisu.

Sachant que lorsque j'invite à dîner, je fais livrer des sushis, c'est sans une once de malice que je réponds :

– Ça ira très bien, ne t'en fais pas.

Élise dirige sa famille comme on planifie une opération militaire. Ses journées sont minutieusement chronométrées et la moindre incartade est vécue comme une tragédie.

Le pas de la porte à peine franchi, mon beau-frère surgit :

– Élise, tu sais où est le réducteur de toilettes ? Ah. Vous êtes arrivés, remarque-t-il avec un air tellement engageant que j'ai immédiatement envie de tourner les talons, un enfant sous chaque bras.

Au lieu de ça, je pousse ma progéniture dans sa direction.

– Allez embrasser Marc, les enfants !

– Je suis sûr que vous vous demandez ce que je tiens là, commence à s'exciter mon beau-frère.

Sans attendre notre réponse, il se lance dans une impressionnante tirade : pour la modique somme de 253 euros, il est l'heureux propriétaire de la quintessence du lit de transport, déhoussable avec des poches sur les côtés, un système de balancelle pour bercer et l'espace à langer facile à nettoyer à clipser sur le lit conforme à la norme expérimentale XP 554-081 de juillet 1999 et, dans un proche avenir, me promet-il gravement, à un projet de norme européenne PR EN 716.3.

J'ai hâte.

– Zoé, passe-moi les après-skis, demande ma sœur en s'escrimant sur la fermeture éclair d'un sac au bord de l'explosion.

– À La Baule ?

– Prévoyance est mère de sûreté, réplique-t-elle d'un ton cinglant. Chéri, tu as bien pensé aux couches ?

Question en apparence anodine, mais qui déclenche trois quarts d'heure de fouille frénétique destinée à vérifier que le paquet de couches hypoallergéniques que Marc est convaincu d'avoir rangé à droite entre la valise et le porte-bébé de vélo avec rembourrage hydrofuge et athermique ne s'est pas bêtement fait la malle pendant qu'il démontait le séparateur de baignoire.

Quand il revient, il a l'air hagard du serial killer qui vient d'assassiner à coups de hache une dizaine de personnes et cherche dans la foule sa prochaine victime.

– Je dois ranger la voiture, où as-tu rangé le bip du garage ?

– Je n'y ai pas touché, c'est toi qui as fait le chargement de la voiture. Tu as bien dû t'en servir pour la sortir, non ?

Mon beau-frère semble doté d'un GPS interne sélectif : capable de piocher une rediffusion d'un reportage sur les courses hippiques parmi une profusion d'émissions ou d'extirper les yeux fermés sa Nintendo coincée entre les coussins du canapé, il n'a jamais trouvé le panier de linge sale, la liste des courses urgentes, ni le point G, si j'en crois l'air grincheux de ma sœur.

– Tiens-moi la petite, je vais le chercher, déclare-t-elle en me collant sa fille dans les bras. Maman va revenir,

Choupinette, tu restes avec Tata. Louis, va dans ta chambre avec les jumeaux et sois bien sage ! Maman compte sur toi.

Élise n'a même pas passé la porte que la bouche minuscule de Choupinette se fend de chagrin et qu'elle commence à hurler.

Vingt minutes de hurlements plus tard, Marc retrouve le bip dans la boîte à gants.

J'ose dire sans exagérer que cette soirée s'annonce sous les meilleurs auspices.

18 h 45

— Tu crois que c'est sérieux avec ce Jérôme ? commence ma sœur en tripotant nerveusement ses clés de voiture. On devrait peut-être le dire à Papa ?

— Surtout pas ! Tu connais Maman ! Depuis qu'elle l'a quitté, un type lui dit bonjour et le lendemain, elle s'abonne à la newsletter de Pronuptia et se renseigne sur les comptes joints.

Depuis leur séparation il y a six mois, ma mère s'est découvert une vocation de croqueuse d'hommes.

Elle passe également beaucoup de temps à « faire le point » et à nous expliquer pourquoi avoir des enfants a gâché sa vie.

— Et où l'a-t-elle rencontré ?

— À la danse, je crois.

Élise repose la pile d'assiettes et s'affale sur une chaise.

— Elle fait du sport ?

— De la danse libre en toge dans un champ. Ça lui passera.

– Je ne comprends pas, se désole Élise. Comment a-t-elle pu partir alors qu'elle avait tout *avant* ! Et tu ne trouves pas ça étonnant qu'elle ait remplacé Papa par un sportif ?

Ce qui m'étonne est qu'elle soit restée avec lui quarante ans.

Une éternité conjugale à rêver d'aventures et se retrouver embarquée dans une improbable visite des plages du Débarquement dans la Renault Nevada de son beau-frère – en la mettant en break, on économise l'hôtel et jamais tu n'auras une vue aussi belle que celle-ci.

Un matin, elle avait débarqué chez ma sœur avec ses valises.

Fini la vie au rabais et les sacrifices. Son PEL vidé, elle comptait bien vivre pour elle. On allait voir ce qu'on allait voir.

Et on avait vu.

19 h 15

Mon père habite une banlieue morne où la rue principale s'appelle « Rue Principale » et concentre l'essentiel de l'activité communale, à savoir une boulangerie, une boucherie, un bar PMU et une épicerie.

Je négocie un dernier virage et gare la Logan que ma sœur m'a prêtée à contrecœur, après m'avoir fait promettre de bien serrer le frein à main et de ne pas claquer la portière conducteur trop fort, devant un étroit pavillon mitoyen à la façade grisâtre : la maison familiale.

Le rideau de la salle à manger se soulève furtivement et la porte ne tarde pas à s'ouvrir.

71

– Bonjour, Papa, ça va ?

– Ça va. Pas bien, mais ça va.

– Tu es prêt ?

– Non. Je n'ai pas fini de faire mon lit. Si on me ramène mort, je veux que les draps soient propres, m'explique mon père qui a toujours eu foi en mes qualités de conductrice.

Sur le buffet de la cuisine s'étalent des photos de ma mère, que, de toute évidence, l'absence de ces derniers mois a transformée en icône.

– Que penses-tu de la nouvelle toile cirée ? Je crois vraiment qu'elle va plaire à ta mère quand elle reviendra, m'annonce mon père, confondant de sincérité.

Manifestement, il n'a toujours pas compris les raisons de son départ.

– Et avec les motifs, on ne verra pas les taches, se félicite-t-il en enfilant sa veste en velours avant de s'observer soigneusement dans la glace, anxieux de ne pas être à la hauteur de l'être céleste qu'il a côtoyé durant quarante ans sans réaliser la chance qu'il avait. Ta mère aimait beaucoup cette veste, je crois, *avant*.

En 1983, elle la trouvait effectivement à la mode. Tout comme le téléphone Socotel gris à cadran recouvert d'une improbable moumoute noire dont mon père se plaît à vanter la solidité.

Mon père est économe, tendance radin. Il n'a appris à coudre que pour rapiécer ses chaussettes et nous a initiées, ma sœur et moi, au concept de cadeau collectif le jour où il a commencé à nous donner de l'argent de poche.

– Parce que tu sais, soupire-t-il en empoignant sa sacoche en cuir – increvable, on savait faire des produits de qualité dans le temps –, c'est pas drôle de vivre seul.

Si j'étais cruelle, je lui dirais qu'il n'est pas seul : il a remplacé Maman par sa télé et ressasse toujours les mêmes rengaines avec les mêmes camarades du syndicat à l'heure de l'apéro.

— Qu'est-ce que c'est que cette voiture ?

— Celle d'Élise.

Mon père se cabre d'indignation.

— Il est hors de question que je mette un orteil dans une Logan. La Régie a délocalisé la production en Roumanie pour profiter du dumping social pratiqué par les ultralibéraux qui ont remplacé les démocraties populaires. Et elle la revend ici aux chômeurs qu'elle a créés en gavant ses actionnaires avec les profits ! Tu crois que je vais me faire complice d'un tel crime ?

— Tu ne crois pas que tu en fais un peu trop ?

— Les délocalisations sont un élément de déstabilisation du tissu économique et de chantage sur les relations sociales contre lequel j'ai toujours protesté. Alors ne crois pas que je vais renier mes convictions, ma petite fille.

— Écoute, Karl Marx, je te proposerais volontiers de prendre le bus, mais le prochain n'est pas avant demain matin, donc peut-être pourrais-tu faire un effort pour le quart d'heure de trajet qui nous sépare de chez Élise qui a encore mis les petits plats dans les grands pour nous faire plaisir ?

— Quand je pense à toutes ces fêtes de l'Huma où je vous ai emmenées pour éveiller votre conscience politique... voilà comment j'en suis récompensé ! Mon aînée participe à la destruction des emplois ouvriers en France et ma cadette travaille pour les bourgeois !

Après avoir éructé sur la « cannibalisation de la gamme normale par la gamme low-cost », il se rapproche de la voiture, ouvre la portière et s'y engouffre enfin.

19 h 50

– À table ! s'égosille Élise.

Les enfants arrivent en trottinant. La barrette de Choupette n'a pas bougé d'un millimètre depuis ce matin, la chemise Bonpoint de Louis est toujours propre et parfaitement rentrée dans son pantalon.

Bien entendu.

Arthur, lui, a retiré ses chaussettes et son gilet, dévoilant à toute la famille mes piètres qualités de repasseuse, et Emma a réussi le tour de force de salir sa robe dans une maison immaculée.

Comme il se doit.

– Tenez, mes chéris, vous avez votre propre petite table avec des amuse-bouches faits maison.

– Ça veut dire quoi « fait maison » ? demande ma fille, interloquée.

On n'est toujours trahi que par les siens.

Élise caresse doucement la tête de ma fille – si elle trouve une lente, je suis fichue – d'un air indulgent.

– Qu'ils sont drôles à cet âge !

– Maman, y a pas de chips ! intervient Arthur, décontenancé.

Avant de me confier qu'elle a toujours admiré le type d'éducation téméraire que je prodiguais à mes enfants – traduction : je suis une incorrigible laxiste qui aurait dû être stérilisée à la naissance –, ma sœur explique que jamais elle n'introduira chez elle des produits industriels bourrés de gras et de sucre.

Elle.

Lundi 23 mars

17 h 45

Boursouflée d'orgueil d'avoir été érigée au rang de directrice de cabinet, Alix a mis un point d'honneur à nous bombarder de « réunions de team building, car il me semble absolument évident que vous en avez bien besoin ».

– Si nous sommes ici aujourd'hui, c'est pour décider collectivement de ce que nous devons faire ensemble, annonce-t-elle en bombant le torse.

Ça commence bien.

– Il est important que la politique budgétaire d'aujourd'hui soit en phase avec les dynamiques plurielles de la société. Ce que je vous propose, c'est ni plus ni moins de construire les moyens d'un « Nous inclusif et solidaire », annonce-t-elle pendant que Paul me lance des SOS du regard et qu'Amstrad semble pétrifié.

Adoptant la réserve d'un caniche empaillé, je m'emploie à faire tapisserie pendant que Coconne se faufile au premier rang, soi-disant pour prendre des notes.

Sans feuille ni stylo, naturellement.

Fantasmant déjà sur un destin à la hauteur de son titre usurpé, notre nouvelle directrice de cabinet nous met directement au parfum :

– L'avenir d'aujourd'hui est le présent de demain. Le Premier ministre a présenté aux membres du gouvernement une nouvelle méthode de travail consistant à répondre au double impératif d'efficacité et d'exemplarité, nous annonce-t-elle avant de disserter sur

l'approche transversale et surplombante de la mutualisation des synergies dans un contexte de développement
durable et citoyen.

Je vois mes collègues échanger des regards consternés.
Se fader un discours d'Alix est toujours une expérience
saisissante pour un novice.

– J'aime mieux vous dire que ça va vous changer !
Ah, on va voir ce qu'on va voir ! Voici venue l'ère de
l'administration moderne, pro active, efficiente, reprend-
elle. Albert s'occupera du story telling de Monsieur le
Ministre. Nous en avons longuement discuté. N'est-ce
pas ?

Acquiescements enthousiastes de Bébert, obscur journaliste cubique apparemment fin prêt pour rédiger des
articles dégoulinants de complaisance à la gloire de
notre Lider Maximo qu'Alix lira avec les inflexions
d'une experte en médiologie.

– Il faut que le ministre soit perçu comme pro actif,
nous allons donc mettre l'accent sur la communication
de l'agir, développe Alix.

– Vivianne vous épaulera dans cette tâche difficile,
précise Paul.

– À ce propos, ça se passe comment, les relations
ministre-cabinet-services ? Je sais que la pièce maîtresse
d'un ministère est son cabinet, mais je voudrais confir-
mation.

– Le cabinet traduit en langage technique pour les
services l'impulsion politique donnée par Monsieur le
Ministre et inversement, récite Paul d'un ton sarcastique
ne laissant aucune place à interprétation.

Le second degré n'étant pas non plus le point fort
d'Alix, celle-ci se rengorge immédiatement.

– Lui façonner l'image d'un homme d'État sera facile.
Le charisme de Monsieur le Ministre est tel qu'il a du

mal à se dépersonnaliser pour incarner sa future fonction, nous confie-t-elle avec toute la solennité que requiert une telle phrase. Mais il est clivant et rassembleur, conclut-elle avant de hocher la tête longuement.

Ah, ben, s'il est clivant et rassembleur, nous aurions tort de nous inquiéter.

Paul enchaîne sur l'état des lieux budgétaire de la France. Alix n'a évidemment pas pris la peine d'ouvrir le dossier préparatoire et attend que nous ayons tous fini de parler pour en reprendre à son compte chaque idée, qu'elle ne manque évidemment pas de faire précéder d'un « je pense que ».

– J'ai lu le livre consacré à Christine Lagarde. Elle a un réseau. Moi aussi. Mon carnet d'adresses est fourni, j'ai même le numéro privé du secrétaire général de l'Association des maires de France, se rengorge Alix.

Qu'on la nomme au Quai d'Orsay sur-le-champ !

– Personne n'a pris de notes ? s'inquiète-t-elle alors que, dans un bel élan collectif, nous nous dirigeons vers la sortie.

Toutes ces belles élucubrations ratées par un manque de matériel, quel gâchis !

19 h 30

Alors que nous nous dirigeons vers l'ascenseur, un aboiement retentit :

– Vous ne comptez quand même pas rentrer tranquillement chez vous après ça ? Réunion de crise dans mon bureau, tout de suite ! Il faut impérativement qu'on mette en place des garde-fous. Je n'ai jamais vu autant d'incompétents concentrés dans une seule pièce. Les finances, c'est une chose trop sérieuse pour qu'elle soit laissée aux politiques. Ils sont là pour faire la pute auprès des électeurs et les cons à la télé. Nous, on travaille alors que ces abrutis nous laissent faire. Sérieusement, depuis quand un ministre, ça décide ? Et s'il pense garder cette péronnelle comme directrice de cabinet, j'aime mieux vous dire qu'il se fourre le doigt dans l'œil jusqu'au bandage herniaire. À la première occasion, je la renvoie dans ses foyers celle-là !

Trois minutes plus tard, la stratégie de notre directeur apparaît limpide : saturer l'emploi du temps du Don pour l'envoyer aux quatre coins du pays porter la bonne parole – celle de la Méthode Coué – et l'éloigner de Bercy afin de prendre les décisions à sa place.

– Et qu'il embarque sa pseudo dir' cab avec lui ! tempête Paul. Vesoul, c'est très bien, ça, Vesoul, indique-t-il à sa secrétaire en tapant un doigt impérieux sur son bureau. Une escale pour le Conseil des ministres et hop, séminaire à Varsovie.

– La journée ou les trois jours ?

– Vous plaisantez ! Trois jours entiers ! Vous me le faites arriver la veille et repartir le surlendemain. Collez-le dans un palace, ne lésinez pas sur les étoiles. Au diable les déficits budgétaires !

– Il va bien finir par comprendre que l'on cherche à l'éloigner, objecte Amstrad en avisant le planning des déplacements. Dans les deux prochains mois, il n'est à Paris que trois demi-journées par semaine.

– De toute façon, ce n'est pas comme s'il avait le choix, rétorque Paul. Sachant que je ne veux pas non plus l'avoir dans les pattes les mercredis où il ne fait pas le beau en Conseil des ministres. Coaching particulier, formation à la prise de parole et toutes ces conneries qui nous coûtent un rein, ça ne pourra pas lui faire de mal.

Cinq mois avant les dernières élections présidentielles, Paul avait dû valider la mise en place d'un accord-cadre pour dispenser à des ministres que nous savions sur le départ des prestations de conseil et de coaching afin de leur dispenser une formation à la communication de crise.

La découverte du coût de cette vaste fumisterie lui avait valu une montée de tension dont nous avions tous fait les frais pendant un mois.

— Et les sommets internationaux ?

— Hors de question ! Autant que sa médiocrité reste confidentielle ! Pour les déplacements importants, nous enverrons le ministre des Finances dont il dépend ! Zoé, vous qui le connaissez, comment est l'anglais du secrétaire d'État ?

— Inexistant.

— Pour le Cabinet, on fait quoi ?

Chaque chiffre, chaque tableur Excel, chaque note ne peut sortir du ministère sans le blanc-seing du Cabinet. Sauf qu'à présent, le Cabinet...

— En attendant de le remodeler à notre guise, on lui mâche le travail. Et on maintient les anciens conseillers techniques qui ont l'avantage d'avoir un QI supérieur à leur température.

— Paul, vraiment, je crois qu'il est délicat d'évincer le ministre à ce point-là, il va le voir, quand même, reprend Amstrad, bourré de remords, comme d'habitude.

— Primo, il n'est pas ministre, mais secrétaire d'État. Secundo, on ne l'évince pas. Cet homme ne le sait pas encore, mais il a envie de découvrir la France. Nous anticipons ses demandes, tranche Paul. Ai-je dit qu'il fallait lui concocter un planning surchargé ?

— Pas depuis deux minutes, non.

– Les remises de médailles. On a failli oublier les remises de médailles ! Le temps qu'il remette la Légion d'honneur à tous les fonctionnaires de France et de Navarre bossant de près ou de loin dans les finances, il aura été viré à coups de pompes dans l'oignon ! Donnez-moi la liste des blaireaux à décorer. Territoire de Belfort, Toulouse, Bretagne, mais c'est parfait, ça.

– Il va s'en rendre compte, quand même ! s'entête Amstrad.

– En lui faisant croire que l'objectif est de lui faire rencontrer les grands de ce monde ? Je vous garantis que non.

– Les grands de ce monde se réunissent rarement à Besançon, Maubeuge ou Clermont-Ferrand…

– Ils ne savent pas ce qu'ils perdent !

– Il va le voir !

Avril

The Man who sold the world

« Il me semble parfois que Dieu, en créant l'homme, ait quelque peu surestimé ses capacités. »

Oscar Wilde

Mardi 1er avril

Il ne vit rien du tout.

Pire, sa nouvelle vie de madone des aéroports, de diva des colloques internationaux les plus improbables combla littéralement le Don.

Notre nouveau secrétaire d'État fait partie de ces hommes politiques capables de débiter avec conviction n'importe quel discours rédigé par l'un de leurs sbires. Il réussit donc facilement la prouesse de passer pour un spécialiste de tout devant un public non averti, excellant dans son rôle de pantin médiatique.

Qu'il soit capable de dire tout et son contraire à quelques mois d'intervalle ne pose aucun problème : l'amnésie collective a toujours été sa principale alliée dans la course au pouvoir.

Galvanisé par les courbettes de sa cour, celui qui définit en public la politique comme une ascèse, un don de soi, un sacrifice à la nation, ne tarde pas à déclarer qu'un cador de sa trempe ne peut exprimer son talent dans le réduit de fonction qu'on lui a attribué.

Que veut-on qu'il fasse dans deux cents mètres carrés ? Une crise de claustrophobie ?

La rapidité avec laquelle l'Arlésien, son ministre de tutelle, lui cède son appartement de fonction de trois cent seize mètres carrés le convainc qu'il est criminel de priver la France de sa magnificence. Pour entrer dans l'Histoire, il doit imposer sa marque de fabrique.

Les huissiers sont sommés d'enfiler leur tenue d'apparat, queue-de-pie et chaîne en argent. Quant aux déplacements *intra muros*, ils ne se feront que par la vedette de la Douane qui fait du cabotage ministériel sur la Seine.

Qu'importe si les occupants des péniches râlent, l'excès de vitesse sera la norme.

Car tel est notre bon plaisir.

Mercredi 2 avril

9 h 30

Une fois le Don placé en orbite loin de nous, les choses sérieuses peuvent commencer : organiser d'interminables réunions pour décortiquer la lettre de cadrage du Premier ministre, qui se résume en une ligne : les caisses sont vides ! Conclusion : on demande des efforts d'économies structurelles aux membres du gouvernement ! Tout de suite !

Comme toute lettre de cadrage postélectorale qui se respecte, celle-ci ne laisse aucun doute sur l'état des finances laissé par leurs prédécesseurs. La situation est grave et si ces sagouins étaient restés une semaine de plus, ça aurait été la catastrophe intégrale.

Le Zimbabwe ? Un pays de cocagne par rapport à la France exsangue qu'ils ont récupérée !

Mais heureusement, les nouveaux maîtres vont redresser dans l'ordre : les comptes publics, nos marges de manœuvre, la compétitivité des entreprises, les investissements et donc le pays. Bref, le retour à l'équilibre des comptes publics, c'est pour demain.

Enfin, après-demain.

Les priorités ? L'emploi. Et puis l'éducation. Sans oublier la sécurité. Et la justice ! Et les investissements ! Et la fiscalité !

Mais pas n'importe laquelle.

Une fiscalité juste et solidaire.

Une fiscalité à laquelle on a envie de participer.

Ce qui tombe plutôt bien car ça va être le cas.

Comme les caisses sont vides, il va également falloir faire des économies. En langage Bercy, on appelle ça des « économies substantielles sur les programmes budgétaires grâce à d'ambitieuses réformes structurelles ».

Soit un terme beaucoup plus peps que « coupes dans les budgets et suppressions de postes ».

Je suis en pleine extase devant ce bijou de novlangue lorsque Paul entre dans mon bureau :

– Le Grand Homme veut nous voir avant son départ pour Montauban.

– Il devrait déjà être parti, non ?

– Ce con a réussi à faire changer ses billets !

Ah mais il progresse !

9 h 45

— Mais enfin, qu'est-ce que c'est que cette histoire ? s'insurge le Don en brandissant la lettre de cadrage intégralement surlignée.

Il ressort clairement des rares discussions que nous avons menées avec notre nouveau boss que celui-ci n'a toujours pas compris comment se bâtissait un budget, mais a réussi à avoir une ristourne très intéressante dans le All Inclusive où il allait passer quinze jours en août.

La perspective d'être contraint pour bâtir le budget de la France semble l'avoir ébranlé.

— La lettre de cadrage donne des préconisations pour le prochain budget dont les orientations seront fondées sur un effort juste, équilibré et partagé, récite Paul, roué à ce genre d'exercice. Nous avons l'un des niveaux de dépense publique les plus élevés au monde, la majorité des Français approuvent la nécessité de faire des économies dans le prochain budget, mais comme cela ne suffira pas, il faut également augmenter les prélèvements obligatoires pour satisfaire les impératifs budgétaires européens.

— Mais Selten et moi avons de grands projets d'investissement.

— Le ministre des Transports et vous avez « de grands projets d'investissement » dont vous n'avez pas cru bon de nous informer ? s'étrangle Paul.

— L'investissement, c'est la croissance, figurez-vous ! Par ailleurs, j'ai promis d'augmenter les dotations des collectivités territoriales, proteste le Don, déstabilisé de ne plus pouvoir accuser l'État de lui geler ses dotations, puisque l'État, désormais, c'est lui.

— Alors, vous ne tiendrez pas votre promesse, rétorque Paul. Ça arrive à des gens très bien.

Notre gardien de l'orthodoxie budgétaire prend soudainement conscience que la vie de secrétaire d'État est plus compliquée que prévu. Il se met à vociférer en écarquillant les yeux d'un air dément comme si Paul disposait d'une baguette magique pour remplir les caisses.

— Je suis ministre. Vos trucs, c'est juste de la comptabilité sans intérêt, reprend-il. Cela ne m'intéresse pas ! Je fais de la politique, moi ! Je vais à la rencontre des citoyens pour leur proposer des projets qui améliorent leur vie quotidienne, moi !

— Plus maintenant. Vous n'êtes plus maire mais secrétaire d'État au budget, clarifie Paul. Nous avons des impératifs à respecter.

— Alors ça, c'est le comble ! Vous pensez que je vais me faire emmerder par une poignée de fonctionnaires tatillons ! Mais quelle légitimité avez-vous ? Moi, j'ai celle du suffrage universel ! réplique le Don en se rengorgeant.

Je décide d'intervenir :

— Vous avez été député, vous avez voté la Loi organique permettant l'application du Traité sur la stabilité, la coordination et la gouvernance, vous ne pouvez pas ignorer les textes que vous avez votés.

— Ma petite demoiselle, si on devait se souvenir de tout ce qu'on vote... On voit que vous ne connaissez rien à la politique. D'ailleurs, c'est quoi votre machin ?

— Le TSCG, que vous connaissez peut-être mieux sous le nom de Pacte budgétaire européen, contraint les États à supprimer leur déficit en respectant un calendrier de retour à l'équilibre des comptes.

— Je refuse de me faire dicter ma conduite par des Belges !

Paul soupire et décide de changer de sujet.

— Compte tenu de l'énorme travail qui sera le vôtre durant les conférences de budgétisation, il serait opportun, me semble-t-il, de recruter un conseiller technique supplémentaire.

— Justement, je voulais vous en parler. Vous connaissez Martin Deronzac, mon suppléant à l'Assemblée nationale ? Un jeune très brillant, promis au plus bel avenir. Je l'aide un peu…

Ses yeux disent : Je l'ai fait et sans moi il ne serait rien.

— Désolé, mais je n'ai pas la mémoire des noms.

Autant ne pas lui avouer que la renommée de son jeune loup s'est limitée aux colonnes du canard de son patelin.

— Vous êtes bien des Parisiens pour ne pas le connaître ! Enfin, Martin accepterait qu'un de ses attachés rejoigne le Cabinet. Il apprendra sur le tas.

La passion des caciques de la politique pour les godelureaux à peine sortis de la maternelle m'épatera toujours.

— Il a même passé trois ans aux États-Unis, s'extasie le Don en nous faisant passer le CV du génie.

Avoir passé trois ans au fin fond du Wisconsin, pendant que sa femme finissait sa thèse sur l'économie de l'érable, lui confère une compétence à toute épreuve et l'auréole d'une gloire professionnelle sans limite.

— Nous avons également une idée de candidat, indique Paul qui a embauché Pierre de Montmaur le matin même. Deux personnes ne seront pas de trop pour vous épauler.

– Je pensais qu'il y avait un quota de conseillers. Mais j'imagine que cela ne s'applique pas à mon niveau, répond le Don en s'enfonçant dans son siège d'un air pénétré.

– Le quota s'applique, mais on le nommera « chargé de mission », ça ira très bien, décrète Paul, qui oublie un peu rapidement qu'il a lui-même cosigné la note dénonçant le coût délirant des cabinets de ministres pléthoriques.

– Parfait ! conclut le Don avant de nous congédier d'un geste impatient suggérant que ce bricolage techno-cratique ne l'intéresse pas.

10 h 45

À peine sortis du bureau du Don, Paul m'entraîne d'office vers le sien où Herr Kaiser bidouille un Power-Point en tirant sur sa cigarette électronique.

– Ce qu'il m'a dit à propos du ministre des Transports m'intrigue, explique Paul.

– C'est d'autant plus bizarre que l'autre ne le porte pas dans son cœur, d'après ce que je sais, précise Herr Kaiser.

– Justement, comment peut-il vouloir s'acoquiner avec notre boulet ? Aucune personne dotée d'un cerveau en état de marche ne peut voir un quelconque potentiel dans ce type ! Il est au Budget, il tient donc les cordons de la bourse, Selten y voit peut-être un moyen d'éviter les coupes budgétaires ? Zoé, j'espère que vous avez conscience qu'il ne tient rien du tout directement. J'ai vraiment du mal à imaginer une alliance pareille. Ce serait le pire allié objectif de toute l'histoire de la République !

11 h 10

Je quitte le bureau de Paul et arrive dans le mien pour trouver mon assistante un œil fermé, sa main droite serrant anxieusement un pinceau déplumé, l'autre en suspens devant une feuille de format A4 remplie de petits numéros, installée sur un chevalet deux fois trop grand.

– Je peins, m'explique-t-elle. Je commence par des « numéros d'art » puis je créerai, continue-t-elle. J'hésite encore entre l'art abstrait et l'impressionnisme.

Effectivement, un tel choix demande réflexion.

– Leonarda de Vinci, entre deux fresques, avez-vous pensé à confirmer la réunion de mercredi avec Monsieur le Ministre ?

– À quatorze heures, il ne pouvait pas, donc il a proposé quatorze heures quinze, m'apprend Coconne avant de reculer pour contempler son œuvre. Je ne sais pas si je suis vraiment faite pour l'administration, m'avoue-t-elle.

Vraiment ?

Samedi 11 avril

13 h 15

Depuis qu'ils sont en mesure d'exprimer leurs préférences vestimentaires, mes enfants manifestent un goût de chiottes très prononcé, tant au niveau des couleurs – vives, brillantes, bariolées – que des matières : le synthétique avant tout. Je suis donc déchirée entre la satisfaction de les laisser libres et la désagréable sensation d'emmener à l'école deux petits Roms qui m'appellent « maman ».

Chaque lessive est l'occasion de déplorer que ces atrocités vestimentaires ne se délavent pas plus rapidement.

– Pourquoi je peux pas garder ça ? demande Arthur en regardant avec amour son tee-shirt de foot du PSG acheté dans un moment de faiblesse.

– Parce qu'il est sale.

– Je l'ai mis ce matin.

– Ce genre de tissu se salit vite. Si tu ne veux pas arriver en retard à l'anniversaire de Foulques, tu mets la tenue que je t'ai préparée.

– C'est pas beau, y a pas d'image, réplique-t-il en avisant le pantalon en velours et la chemise bleue étalés sur son lit.

– Et toi, tu inviteras toute la classe à notre anniversaire ? s'enquiert Emma en lissant les plis de sa jupe.

Me transformer en GO pour vingt-cinq gamins entre cinq et six ans dans un trois pièces ?

Jamais !

– Il faudra qu'on en parle avec Papa, mon chaton.

– Parce que la mère de Fanny, elle va inviter toute la classe, comme aujourd'hui.

Il va falloir que je discute sérieusement du concept de solidarité féminine avec la mère de Fanny.

14 h 10

Nous arrivons devant la porte de l'élégant appartement haussmannien de Marielle. Nous n'avons pas le temps de sonner qu'en moins d'une minute elle nous ouvre la porte, m'embrasse dans le vide, retire les manteaux des enfants, en éprouve l'étoffe discrètement d'une main connaisseuse, les place dans un dressing à côté de sa collection de châles en pashmina tout en nous entraînant à l'intérieur.

L'entrée a été entièrement décorée de ballons bleus et blancs estampillés « Joyeux anniversaire Foulques ! » et les banderoles ont été peintes à la main.

– Ne fais pas attention au désordre, sourit-elle pendant que nous progressons dans une gigantesque pièce immaculée où un chat angora slalome gracieusement entre les bibelots en porcelaine de Chine.

À croire qu'elle élève ses enfants à la cave. Ou dans la chambre de bonne dévolue à la jeune fille au pair suédoise.

– Voici le salon, m'informe-t-elle en me regardant les yeux remplis d'un espoir qui me fait me demander si je dois m'extasier, au choix : sur la déco, la propreté et l'absence totale de jouets, ou confirmer qu'effectivement, c'est bien le salon.

– Ah.

– Dieu merci, les enfants préfèrent jouer dans leur chambre, soupire-t-elle avec un tel soulagement que je préfère ne pas avouer que mes enfants ont investi la totalité de l'appartement et ont bâti une tente avec des draps et la tour à linge au beau milieu de notre salon-salle à manger-cuisine.

Nous pénétrons dans la chambre de son fils, située à l'exact opposé de celle de ses parents. Dans une pièce de la taille de mon salon, qui ressemble à un showroom du Conran Shop, patientent une vingtaine d'enfants assis en tailleur sur un tapis blanc immaculé devant un tableau noir.

Y compris Édouard qui, invité à la maison il y a deux mois, a initié mes enfants à l'art du salto avant sur lit.

– On joue à l'école, nous informe Foulques gravement, pendant que l'aréopage de perfections infantiles hoche la tête.

Elle les a bourrés de Théralène[1] ou quoi ?

– Tu veux boire quelque chose ? me demande-t-elle pendant que nous regagnons le salon.

Je résiste à la tentation de lui demander une vodka et opte pour un café.

– Qu'est-ce qui te ferait plaisir ? dit-elle en me tendant la carte Nespresso que je commence à parcourir en me consumant de honte de lui avoir servi un café lyophilisé lors de sa dernière venue chez moi.

Je choisis au hasard. Cinq minutes plus tard, l'employée de maison revient, portant un plateau qu'elle dépose sur la table basse avant de se retirer silencieusement.

– Sers-toi, me dit Marielle en poussant vers moi une assiette de cranberries séchées. Je n'arrête pas de grignoter en ce moment. Il faut dire que je suis incroyablement stressée avec le choix de l'école primaire.

Quel choix ?

– J'ai demandé à Eudes d'acheter une chambre de bonne pour contourner cette maudite carte scolaire, mais il refuse, sauf si je trouve un travail à mi-temps, soupire-t-elle. Avec les enfants et tout ce que je dois gérer...

Sans que je lui demande rien, Marielle commence à détailler pour la millième fois les nombreuses allergies réelles et supposées dont souffrent ses rejetons

---

1. Sirop (notamment) sédatif.

afin que je prenne bien conscience de l'exploit qu'elle accomplit en réussissant à les maintenir en vie. Accomplissement dont elle avoue partager le mérite avec l'équipe d'experts qui a le bonheur inextinguible de connaître ses petits prodiges : pédiatre, homéopathe, naturopathe, orthophoniste, bébés nageurs, coach de gymnastique « maman et moi »...

Ce genre de personne existe uniquement pour donner aux autres mères le sentiment d'être des merdes négligentes qui ne comprennent pas les besoins de leurs enfants, alors que franchement, comment peut-on envisager l'éducation d'un enfant sans phytothérapeute ?

Quant aux divorcées, n'en parlons même pas. Leur simple existence est un outrage.

Je suis à deux doigts d'aller m'autodéclarer mère indigne à l'Aide sociale à l'enfance lorsque Arthur jaillit de derrière le canapé tel le diable de Tasmanie.

– Maman, tu ne devineras ja-mais ! Foulques n'a jamais mangé de bonbons de sa vie. À la place, il a des raisins secs ! Tu imagines une vie sans bonbons ? Ça doit être affreux, conclut-il d'un air grave pendant que j'attrape ma tasse et la bois cul sec pour me donner une contenance.

– C'est fou comme il a besoin de se dépenser, note Marielle en regardant mon fils repartir en pas chassés vers la chambre. Donc, Eudes me demande de trouver un travail à mi-temps. Comme si on pouvait élever des enfants correctement en travaillant à côté ! Il n'a vraiment aucune idée de ce que c'est d'être mère !

Jeudi 16 avril

14 h 15

Le doigt sur la touche « Suppr », je regarde la troisième version de ma phrase d'introduction disparaître lettre après lettre, lorsque je reçois deux mails « haute priorité » m'informant que je suis conviée à une réunion avec notre nouveau conseiller technique.

Depuis l'annonce de sa nomination, Pierre de Montmaur nous convoque par petits groupes au cours de réunions anarchiques où il s'applique à chanter les louanges des présents avant de débiner les non-invités.

Notre Machiavel d'opérette passe ensuite à la phase 2 de son plan : nous faire bosser à sa place. Grand adepte du travail d'équipe dont il parle avec lyrisme, le Marquis n'a pas son pareil pour découper une tâche et en confier les morceaux à ses victimes en insistant sur la confidentialité du projet et en nous interdisant d'en parler à qui que ce soit. Une fois installée une saine ambiance de défiance, il se précipite à l'extérieur pour écouler le stock de cartes de visite qu'il a fait imprimer en l'honneur de son nouveau poste. Les copies remises, il s'attaque à la reconstitution du dossier-puzzle en se félicitant de ses qualités managériales.

Aujourd'hui, alors qu'il a passé une demi-heure à la machine à café à discuter avec les participants pressentis de l'horaire d'une future réunion, il a mis un point d'honneur à lancer un doodle, essentiellement pour garder une trace écrite de ces glandeurs réticents à finir leur journée par deux heures de parlotte inutile.

95

Car évidemment, en bon Very Important Fonctionnaire, le Marquis glandouille toute la journée mais ne dispose d'aucun créneau avant dix-huit heures trente.

18 h 45

Le Marquis nous accueille, ferme la porte non sans avoir jeté un coup d'œil furtif dans le couloir, retourne à son bureau et pose les bras sur les accoudoirs de son fauteuil, réunissant ses mains comme pour demander conseil à quelque divinité, avant de nous toiser par-dessus ses lunettes.

– Vous avez bien reçu la lettre de cadrage ? Parfait. Avec les élections, la préparation de la loi de finances a pris du retard. Il est donc plus que temps de nous mettre au travail.

Dans la bouche de Pierre de Montmaur, le « nous » professionnel signifie « vous ».

– Ce qui m'a été transmis pour le moment ne me satisfait absolument pas, nous confie-t-il en baissant la voix. Le niveau de cette direction est curieusement hétérogène, je le crains. J'aurais dû vous demander de vous y atteler bien avant. Vous, au moins, vous avez le niveau...

À ma gauche, un sous-directeur se rengorge fièrement, incapable d'imaginer que, dès demain, le Marquis gratifiera d'autres collègues du même discours.

– Je ne veux pas vous mâcher le travail, mais tout ce que vous avez à faire est là-dedans, expose notre conseiller en nous faisant passer un document famélique.

96

La lecture de sa note me plonge immédiatement dans un abîme d'incompréhension : j'arrive sans peine à comprendre chaque mot séparément, mais suis incapable d'y trouver un sens global.

Inutile de demander des précisions à l'auteur de cet immonde verbiage, sauf si l'on veut s'infliger deux heures à l'écouter expliquer en quoi son parcours professionnel et son expertise lui permettent de disséquer la situation budgétaire française mieux que quiconque.

Mercredi 22 avril

14 h 25

Coudes sur le bureau, front plissé et bouche tordue, le Don me dévisage depuis mon arrivée dix minutes plus tôt dans son bureau.

– Printemps 2011. Club Med de Marrakech ! Vous y enseigniez le tango. C'est ça, non ?

Grâce à mon sens très personnel du rythme et ma souplesse légendaire, bien sûr.

– Toujours pas, non.

– Alors… C'est vous qui gérez les prévisions de dépenses budgétaires ? me demande-t-il pour la troisième fois.

Non. J'ai sur les genoux deux épais dossiers labélisés « Prévisions dépenses budgétaires », et Alix m'a déjà appelée cinq fois depuis le début de la semaine pour me demander de lui expliquer les notes qu'elle reçoit avant d'y ajouter sa touche personnelle – lot de synonymes (« animer » plutôt que « diriger » ; « par contre » à la place de « en revanche »), de ponctuations ineptes et de remarques de haut vol (« la police Arial 11 doit immédiatement être remplacée par du Times New Roman 12 ») –, mais je ne les gère pas, je fais juste semblant.

– Tout à fait.

– Je veux dire : « toute seule » ? s'étrangle le Don.

– Non. Avec mon équipe.

– Votre équipe, oui, c'est vrai. Et n'y a-t-il pas quelqu'un de votre équipe avec vous ?

Une vraie personne dotée d'un rassurant chromosome Y, par exemple ?

– Je préfère centraliser les dossiers et vous les présenter moi-même. Cela prend moins de temps que si une quarantaine d'agents défilaient dans votre bureau.

– Une quarantaine ? C'est incroyable. Je veux dire, pour une… enfin, comme vous êtes une…, commence-t-il avant de s'arrêter et de se mordiller la lèvre nerveusement.

Je sens venir la suite et ressens une intense envie de tendre la main pour attraper l'exemplaire du Code des impôts encore sous blister posé sur le bord de son bureau et le lui balancer à la figure.

J'écarte rapidement l'idée.

L'intérêt d'être une femme civilisée est précisément de ne pas céder à ce genre d'impulsion, quelle que soit la provocation de l'adversaire.

J'essaie donc de garder une voix posée et continue d'un ton suave :

– Comme je suis… ?

Il se penche vers moi, rassemble son courage et m'annonce à mi-voix :

– Ben, une femme. Je veux dire, comme vous êtes une femme.

Cette fantastique révélation faite, il se recule lentement sur son siège et croise les jambes, satisfait de son incroyable courage.

En prenant soin d'éviter de prononcer les mots qui fâchent, je me contente de répondre :

– Je suis ravie que nous ayons éclairci ce point. Donc je vous confirme que je gère les prévisions de dépenses et souhaiterais vous présenter les projections.

– Non, mais j'en reviens pas. Tous ces chiffres, ce doit être drôlement compliqué pour quelqu'un comme vous, quand même.

Pas plus que pour quelqu'un comme toi.

Connard.

– Je sais que votre emploi du temps est très serré et je vous propose, par conséquent, de nous y mettre.

Lorsque j'ai fini d'exposer au Don notre situation budgétaire, il me regarde comme si je venais de faire un triple axel en stilettos sur son tapis.

– C'est incroyable à quel point votre laïus est technique... pour une femme, s'étonne le Don, dont l'air vide m'informe que mon laïus-technique-pour-une-femme n'a sans doute pas été compris par sa toute-puissance de mâle.

– Mais encore ?

– Le problème, c'est que le budget est trop contraint. Il faut prendre exemple sur les collectivités territoriales qui ont beaucoup plus de latitude, développe-t-il en affichant un sourire béat, comme si accroître l'endettement de son ancienne collectivité territoriale représentait une des joies mémorables de sa vie.

– La loi de programmation des finances publiques 2012-2017 vise au contraire à réduire la dette.

– Je sais, déplore-t-il. Mais n'y a-t-il pas moyen de remanier un peu tout ça ?

– C'est-à-dire ?

– Le ministre des Transports a de grandes idées qu'il serait criminel de ne pas concrétiser. Alors que son collègue de l'Intérieur… à part parader dans les médias…

Et caracoler en tête des sondages d'opinion, loin devant le reste des troupes. Et se faire régulièrement féliciter par le Premier ministre qui ne tarit pas d'éloges sur son ministre de l'Intérieur qui, lui, réussit le tour de force d'agir !

– Premier flic de France, tu parles, reprend le Don, la voix vibrante de rancœur. Je trouve son budget bien trop élevé par rapport aux autres. Rétablir une certaine équité ne serait pas du luxe avant que… Enfin, les cartes seront probablement rebattues d'ici quelques mois.

Est-ce les chiffres « drôlement compliqués pour quelqu'un comme moi » ou le laïus « incroyablement technique pour une femme » ? Toujours est-il que je ne résiste pas :

– Vous pensez que le ministre de l'Intérieur va devenir Premier ministre comme plus des deux tiers des Français le souhaiteraient ?

Le Don vire écarlate et bafouille que les sondages ne veulent rien dire. Il ne les regarde jamais. Et d'ailleurs, ils sortent d'où ces chiffres ? La politique ne fait pas bon ménage avec des chiffres venus de nulle part. Et les femmes non plus d'ailleurs, il en a une nouvelle fois la preuve ! La politique, c'est un métier d'homme. Il souhaiterait se remettre au travail à présent. Car pour en avoir, il en a ! Il doit vraiment tout faire tout seul ici.

Lundi 27 avril

18 h 45

Sur certains esprits fragiles, la perspective de n'avoir qu'à claquer des doigts pour que soient exécutées leurs exigences les plus folles semble avoir l'effet d'un euphorisant et leur fait perdre le fil ténu qui les reliait encore à la réalité. Si leur équipe n'est pas capable de les ramener sur terre, le pire est à craindre.

Si, le Don n'en finit pas de s'émerveiller de ce qui lui arrive, cet émerveillement ne se répercute malheureusement pas de manière immédiate sur la situation économique du pays.

L'Arlésien – le « Vrai Ministre des Finances, pas le Secrétaire », comme le fait régulièrement remarquer Coconne – présidant un colloque dont le seul titre avait plongé le Don dans la plus grande perplexité, nous n'avions eu d'autre choix que d'envoyer notre second couteau conclure un reportage sur les finances publiques.

En apprenant qu'il s'agissait d'une chaîne nationale, Alix avait frôlé la syncope.

Nous aussi, mais pour d'autres raisons.

Une semaine à lui faire répéter la note que nous avions rédigée pour que MonMaire ne se ridiculise pas à une heure de grande écoute.

Enfin, pas trop.

Cinq minutes susceptibles de révéler ce que je sais depuis longtemps : ce type est bête à manger du foin à pleine fourche.

101

Debout devant la télévision du bureau de Paul, nous assistons à la poignante déclaration du Don. Orange vif et poudrée à mort, notre marionnette croise les mains, penche légèrement la tête et nous regarde dans les yeux sans ciller.

— Je suis un ministre de combat, je suis sur le terrain tous les jours.

— On y croirait, approuve Paul. C'est fou comme il arrive à faire illusion lorsqu'il lit nos notes. Le truc, c'est de tout lui rédiger, intégralement.

— Taisez-vous, c'est ma phrase qu'il vient de réciter. Et il y a mis le ton. Je suis impressionnée.

— Il a été MonMaire, vous le savez, hein ? Ça fait sérieux quand il parle.

— Vous avez raison, Coralie. C'est quand même vachement beau, ce qu'on écrit. Ça donne confiance en l'avenir quand on n'y connaît rien !

— Heureusement que personne se rend compte à quel point on est dans la merde, n'empêche. Parce que notre Marlon Brando du pauvre, il se ferait sérieusement bousculer !

— Qui lui a mis « pallier à » ? Je me tue à le répéter, s'énerve Paul. Pallier est un verbe transitif. On pallie quelque chose. Pas « à » quelque chose. Et naturellement, il n'a pas corrigé !

— Au cas où vous ne l'auriez pas remarqué, on n'a pas récupéré un premier violon philharmonique...

— Cela dit, il est au top de son éloquence, je dirais même qu'on confine au sublime, sur ce coup.

— Je l'ai toujours dit, rien ne vaut un bon training en communication. Du reste, aux États-Unis où j'ai travaillé durant trois ans...

Je recentre mon attention sur l'écran, tournant délibérément le dos au Marquis. Notre conseiller technique a tout vu, tout lu, tout visité. Un mot glané dans une conversation de couloir lui permet de se raconter à n'en plus finir.

Un nom de pays murmuré à la machine à café ? Il l'a évidemment visité de fond en comble. Il trouve du reste *Le Guide du routard* trop allusif et a su dénicher un charmant hôtel de luxe que seuls les initiés connaissent.

Le prix de la chambre ?

Comme tout ce qu'il achète, moins cher, *beaucoup* moins cher que sur le papier.

– Il m'énerve, me souffle mon assistante à l'oreille. Déjà, il m'a obligée à rester ici alors qu'il fait presque nuit et en plus il faut toujours que tout ce qu'il lui arrive soit mieux qu'aux autres. Au Sénégal, il a trouvé de l'or et moi, j'ai attrapé la turista.

Jeudi 30 avril

18 h 30

Paul débarque dans mon bureau, Herr Kaiser sur ses talons, et manque s'évanouir de soulagement en y apercevant le Marquis qui m'explique depuis une bonne heure qu'il est débordé.

– J'ai un journaliste qui me demande des précisions sur la déclaration du secrétaire d'État au Budget, explique-t-il avant de coller le portable dans les mains de son collègue et de se ruer sur mon ordinateur. Pianotez sur votre machin, là, le moteur de recherche !

– Je cherche quoi ? La déclaration de lundi ?

– Celle d'aujourd'hui. Enhardi par son succès médiatique, il semblerait que notre génie politique se soit lâché aujourd'hui auprès d'un journaliste. Celui avec lequel Pierre est en train de faire causette.

Brillante idée. La méthode de notre conseiller technique est imparable : quel que soit le sujet, il s'arrange pour ramener l'attention sur le sujet qu'il maîtrise le mieux : lui.

Pendant que Pierre se raconte, j'entre quelques mots clés sur Google afin de voir quelle ânerie le Don a bien pu sortir pour éveiller l'attention de la presse, lorsque Paul glapit :

– La vache ! Il a annoncé qu'il allait diviser par deux le montant d'imposition des Français ! Il. A. Annoncé. Qu'il. Allait. Diviser. Par Deux. Le Montant. D'Imposition, répète Paul en détachant chaque mot comme s'il jouait au Scrabble, pendant que je continue de faire défiler les dépêches de l'AFP en espérant que s'y cache un démenti.

– L'info est reprise sur différents sites.

– Il n'a pas pu dire une chose pareille, voyons, tente de se rassurer Paul.

Au contraire. C'est tellement stupide que ça pourrait être vrai.

– Je pense que si, murmure Herr Kaiser qui regarde l'intégralité de son répertoire « journalistes » apparaître en flash sur l'écran de son iPhone.

– Je veux tout le monde en ordre de bataille immédiatement. Où est Amstrad ?

– En réunion de service.

– Mais elle a commencé à quatorze heures ! objecte Paul.

Organiser une réunion avec ses collaborateurs est, pour Amstrad, tout simplement insupportable. Il a donc opté pour le rythme bi-annuel.

Pouvoir se faire mousser hebdomadairement émousse l'intérêt de l'exercice, mais lorsque cette opportunité n'est accordée qu'au compte-gouttes, chaque ego frustré de ne pas avoir la reconnaissance qu'il est persuadé mériter va se raconter un maximum dans le temps qui lui est imparti.

C'est précisément là où le bât blesse.

Bourré de Lexomil pour survivre à l'épreuve, Amstrad n'a toujours pas intégré que c'était à lui de gérer le temps des interventions. Par conséquent, ses réunions de service durent jusqu'à épuisement des combattants.

– Allez me le chercher immédiatement !

18 h 50

J'arrive dans la salle de réunion pour entendre la voix pâteuse de notre collègue promettre d'embaucher une armée de stagiaires. Qu'importe qu'il n'y ait plus aucun bureau disponible, il est prêt à tout pour faire descendre le niveau sonore de la pièce.

Y compris à prendre un stagiaire sur ses genoux pendant les six prochains mois.

– Excusez-moi de vous interrompre, mais je vais devoir vous emprunter votre chef.

Liquéfié de reconnaissance, Amstrad se lève et récite la conclusion qu'il ressert à chaque fin de réunion :

– Je vous remercie de ces échanges d'une très grande qualité. Cette réunion s'achève avec la satisfaction collective d'être sortis des postures et d'avoir touché le cœur d'un certain nombre de sujets. Elle est le point de départ d'un processus que nous enclenchons, aujourd'hui même.

Évidemment, il n'enclenchera aucun processus que ce soit.

Jamais.

18 h 55

– Je ne peux plus les supporter, m'informe Amstrad qui, la tête sous le robinet des toilettes, essaie d'émerger de son brouillard de barbituriques. Que se passe-t-il ?

– Notre génie des Finances a annoncé à la presse qu'il allait diminuer les impôts par deux.

Amstrad se relève d'un coup, manquant de s'incruster le robinet dans le crâne et titube jusqu'à moi, dégoulinant :

– Il a quoi ?

– Annoncé à la presse qu'il allait diminuer les impôts de moitié.

– Directs ? Indirects ? À quels leviers pense-t-il ?

– S'il avait pensé avant de parler, nous n'en serions pas là.

19 h 30

– Redites-moi déjà ce qu'il a annoncé ? demande Paul, abattu par le poids de ses vingt-cinq ans de service et l'incurie de son nouveau boss.

– Je vous l'ai déjà répété trois fois.

– Je sais, mais c'est tellement hallucinant que ça a du mal à rentrer.

– Il veut diviser le montant d'imposition par deux.

– C'est tout de même incroyable, ressasse notre directeur. On l'envoie faire le mariole dans un centre des impôts, soit l'expédition zéro risque. Un tel non-événement que j'ai vu le moment où il allait comprendre qu'on se fichait de lui. De ce point de vue, soyons rassurés, il n'a rien capté du tout. Là-dessus, il sort une connerie plus grosse que lui, jusque-là, normal. Et paf ! Il réussit l'exploit de la sortir devant un journaliste. Qu'est-ce que ça va être pendant les débats du vote de la loi de finances !

Pendant qu'Amstrad considère longuement ses ongles afin d'élire celui sur lequel passer son stress, Paul mâchonne sa lèvre supérieure avant de rendre son verdict :

— Il faut absolument qu'on le voie tout de suite afin de savoir précisément ce qu'il a dit.

20 h 15

Alix débarque, l'œil inquiet, le poil terne, et commence à égréner un best of de vacuités intellectuelles dont il ressort que nous exagérons la situation.

Paul semble au bord de la crise de nerfs.

— J'ai besoin d'éléments de langage immédiatement ! s'égosille-t-il pendant que nous griffonnons comme des perdus sur nos bloc-notes. Que proposez-vous ? Zoé ?

— Dire qu'effectivement le gouvernement souhaite la baisse des impôts pour les ménages rapidement et de manière importante, mais que le court terme dépendra de la croissance et de la réduction des dépenses, un truc dans ce genre-là...

— Pas d'objectif chiffré en tout cas, intervient Herr Kaiser. Mieux vaut être vague. Si on lui demande des précisions, on peut mettre une phrase volontariste, du type « Nous mettons tout en œuvre pour atteindre cet

objectif. » Si on lui demande quand, il doit répondre
« Très prochainement ». On balance quelques phrases
choc comme « Nous allons nous engager dans des
réformes structurelles qui vont concerner l'ensemble de
la dépense publique. » Oh, et il faut des slogans faciles
à retenir. Je vous propose : « Chaque euro d'économie
supplémentaire est un euro de plus dans la poche des
Français. » Court, mémorisable et ça envoie un message
positif.

— Être positif, avec la bande de blaireaux qu'on se
trimballe, tu me la copieras, peste Paul.

20 h 55

Le Don arrive, furieux d'avoir été dérangé pendant
son dîner et persuadé d'avoir eu l'idée de génie qui
fera dire au Premier ministre : « Qu'on lui crée immédiatement son propre ministère ! » En avisant nos
têtes d'enterrement, il perd immédiatement de sa
superbe.

— Un journaliste nous a appelés, annonce Paul sans
ambages. Plusieurs, même. Ils souhaiteraient avoir de
plus amples explications sur votre déclaration. Vous
auriez dit que vous alliez diviser par deux le montant
d'imposition des Français.

— Vous savez, je dis beaucoup de choses, en général.

— Mais en particulier, sur les impôts...

— C'est possible.

— Il faut démentir immédiatement, Monsieur le
Ministre, glisse Paul. Et expliquer que le journaliste n'a
pas compris ou que la phrase a été sortie de son contexte.
Vous vous souvenez du nom de la personne à qui vous
avez parlé ?

– S'il fallait me rappeler le nom de tous ces cons... Mais je l'ai vu plusieurs fois... un gros...

Qu'est-ce que ça doit être, vu la corpulence du Don.

– ... qui fume.

Voilà qui fait avancer la recherche.

– Des roulées sans filtre.

Ce type est une mine d'informations.

– Peut-être vous souvenez-vous au moins de son visage ? tente Paul en faisant craquer ses phalanges.

– Bien entendu, je n'oublie jamais un visage.

Je pars compulser les annuaires des associations de journalistes. Paul en sélectionne plusieurs et les montre au Don qui finit par s'exclamer :

– C'est lui, pas de doute !

– Un journaliste de l'AFP. Sûr que ça ne pouvait pas être un pigiste stagiaire ! Encore une fois, nous allons être mis à l'honneur.

– Si vous voulez toute la vérité..., commence le Don.

– Je préférerais, oui.

– Je me suis dit que pour regonfler notre popularité, il fallait frapper un grand coup.

Derrière la nuque ?

– Après tout, les Français veulent payer moins d'impôts. Ben voilà !

Comment n'avons-nous pas eu cette brillante idée plus tôt !

– Moins d'impôts, ça fait moins de recettes, développe le directeur du Budget en prenant soin d'articuler, espérant sans doute déclencher un sursaut de réalisme chez notre grand chef.

– Écoutez, Paul, c'est vous le technicien, il y a sûrement moyen de diminuer les impôts des Français et d'en créer un autre qui ne se voit pas mais rapporte la différence.

– « Créer un impôt qui ne se voit pas » ? répète l'autre, au bord de l'apoplexie.

– C'est exactement ça. Vous allez me créer un impôt indolore ! Un impôt GHB[1] quoi ! On boit un coup et on se réveille sans se souvenir qu'on s'est fait mettre !

Amstrad plisse les yeux dans un effort louable pour donner corps à ce concept.

– Et on passe par décret, comme ça, c'est rapide, rajoute le Don, comme si la situation n'était pas assez absurde.

– Mais enfin ! Ce n'est pas possible, s'étrangle Paul.

– Et depuis quand le ministère du Budget ne peut pas passer un impôt ?

– En ce qui nous concerne : 1958, réplique notre directeur avant de se tourner vers Amstrad et de hocher la tête.

– L'article 34 de la Constitution dispose que « la loi fixe les règles concernant l'assiette, le taux et les modalités de recouvrement des impositions de toute nature », récite notre collègue.

– C'est le Parlement qui créé l'impôt, pas le gouvernement, clarifie notre directeur.

– Ben, on va faire passer une loi pour les baisser.

– Il faudrait pour cela un projet adopté en Conseil des ministres et présenté par le gouvernement.

– Ça non ! Ce serait trop long et on me volerait mon projet. Je les connais ! Je sais : je demande au député de chez moi de proposer la loi en disant bien que c'est moi qui lui ai demandé de le faire et que c'est mon idée.

– Article 40 de la Constitution : « Les propositions et amendements formulés par les membres du Parlement

---

1. Psychotrope dépresseur parfois utilisé à des fins détournées (« drogue du viol »), notamment en raison de l'amnésie qu'il provoque.

ne sont pas recevables lorsque leur adoption aurait pour conséquence soit une diminution des ressources publiques, soit la création ou l'aggravation d'une charge publique », déclame Amstrad.

– Ce sont des finasseries de technocrates ! Je donne des ordres et vous les exécutez !

– Vous n'êtes plus maire. Cela ne se passe plus ainsi. Il faut réfléchir en amont aux annonces que vous faites, rétorque Paul.

– Être sincère en politique, c'est ma marque de fabrique, conclut le Don en sortant de la pièce.

On se doutait bien que ce n'était pas la compétence qui le distinguait. Amstrad a dans les yeux un cauchemar de procédures.

– Je rêve ou il est parti se coucher ? demande Paul, incrédule. Il nous met dans une mouise intergalactique et il part roupiller ? Et il compte faire le pont ?

– Vous devriez rentrer chez vous, propose Alix. Vous savez, avec un peu de chance, personne n'aura relevé ce qu'il a dit.

– « Avec un peu de chance » ? Pour se sortir de cette merde, il va nous falloir beaucoup plus qu'« un peu de chance » ! bouillonne notre directeur.

Un miracle. Une panne généralisée d'électricité. Une coupure Internet internationale.

– Je vous veux tous demain aux aurores, ajoute Paul. La Fête du Travail, ça va être la nôtre, je vous le garantis.

– Vous dramatisez tout. Je suis directrice de cabinet et je vous dis, à vous, services, d'attendre que l'orage passe. Les gens vont oublier. Grâce au gouvernement, il se passe chaque jour beaucoup de choses en France, vous savez ! Ça ne se verra pas.

Mai

Panic Station

« Laisse-nous t'dire que tu t'prépares des nuits blanches, des migraines... des "nervous breakdown" comme on dit de nos jours. »

Michel Audiard,
Les Tontons flingueurs

Vendredi 1er mai

Ça se vit immédiatement.

On ne vit même que ça.

Le Président aurait annoncé sa conversion au bouddhisme et sa retraite au Tibet dans la foulée, ce serait passé inaperçu.

6 h 15

La sonnerie de mon réveil me vrille les tympans. Je quitte la position fœtale dans laquelle le sommeil m'a surprise trois heures plus tôt et décroche mon portable pour entendre la voix affolée d'Amstrad :

– Il passe sur Europe 1.

– Tu plaisantes ?

– Non.

Effectivement, sachant que mon collègue a dû ingurgiter deux doses de bêtabloquants pour décrocher son téléphone, les probabilités sont minces.

– J'arrive.

Dans les romans, l'héroïne « jaillit des draps » avant de s'envelopper d'un peignoir de satin pour réfléchir à la situation.

J'ai effectivement sauté hors de mon lit. Mon pied gauche est resté bloqué dans la housse de couette et je me suis affalée comme une masse par terre.

Lorsque je parviens à me relever, j'entends notre secrétaire d'État expliquer qu'il a lu Milton Friedman.

Ah bon.

– Vous savez, les vrais gens sont avec moi. Il faut faire confiance au peuple. C'est lui qui connaît la vie, pas les économistes perdus dans leurs bouquins. Ah, ils sont forts pour jongler avec des milliards sur le papier. Mais ne leur demandez surtout pas le prix du kilo de pain. C'est pour le pain que le peuple s'est soulevé en 1789. Et c'est ce pain qu'on lui vole par les impôts pour le transformer en brioche qui engraisse l'État que je vais lui rendre.

– Donc vous confirmez une diminution des prélèvements obligatoires ? insiste le journaliste.

– Je vous confirme que mes services travaillent activement, qu'un comité de pilotage est sur le point d'être nommé, que nous allons annoncer le calendrier des travaux préparatoires, des groupes de travail seront prochainement lancés et une structure va être créée.

Une structure ? Pour le faire taire ? Ce serait une idée.

6 h 55

Entassés dans le bureau de Paul, nous zappons d'une station de radio à l'autre pour entendre le Don pérorer sur les diminutions d'impôts qu'il s'engage à mener grâce à sa nouvelle structure qui va lui remettre un rapport for-mi-dable.

– « J'appartiens à un gouvernement d'action qui accélère le changement. »

– C'est une plaisanterie ? s'insurge notre directeur. Il ne peut pas faire ça ! Nous n'avons pas le début du commencement d'un centime d'euro à mettre dans l'organisation de cette structure grotesque.

Pas besoin de lire entre les lignes pour acquérir la certitude que c'est effectivement ce qu'il compte faire.

7 h 10

L'intégralité des cadres de la direction est au garde-à-vous lorsque le téléphone retentit. Paul grimace, met le haut-parleur et la voix de basse désincarnée de l'Arlésien retentit dans la pièce :

– Qu'est-ce que c'est que ce foutoir ? explose notre Tutelle. Brochard, vous me réglez la situation dans les plus brefs délais. Mais quelle idée de parler de « pause fiscale » ! Ce n'est absolument pas le moment ! Vous imaginez l'impact de la déclaration de cet abruti ?

– Oui, Monsieur le Ministre.

– Ce type est un jean-foutre ! Ne le quittez plus d'une semelle ! Pour les gens, « Bercy », c'est « Bercy », Duvalier ou moi, c'est la même chose ! C'est moi qu'il fout dans la merde !

– Bien entendu, Monsieur le Ministre.

– On mise tout sur le cafouillage sémantique. On insiste sur le fait qu'évidemment ses propos ont été mal interprétés et on se concentre sur son comité Théodule, cela peut nous être utile. Nous envoyons un signal positif en montrant que nous travaillons sur une éventuelle diminution d'impôts, tout en détournant l'attention des gens. Trouvez une appellation un peu sexy et on peut s'en sortir.

— Très bien, Monsieur le Ministre.

— Maintenez ses déplacements, mais surveillez-le comme le lait sur le feu ! Et que votre équipe valide tous ses discours jusqu'à ce que nous ayons remplacé sa directrice de cabinet par un élément de valeur. Vous m'avez bien compris ?

— Tout à fait, Monsieur le Min... Il a raccroché.

Herr Kaiser arrive et se laisse tomber sur une chaise.

— Donne-moi une bonne nouvelle, réclame Paul. J'ai le sens des réalités, je prendrai n'importe quoi. Une catastrophe aérienne, un attentat. N'importe quoi qui fasse diversion ! Poutine ne pourrait pas faire un effort en Ukraine ?

Alix débarque, le visage illuminé.

— Un journaliste veut faire un portrait complet sur lui. Trois pages plus des photos. On parle de lui partout, c'est la gloire ! exulte-t-elle.

La gloire. Exactement le terme que je cherchais alors qu'à la radio, l'opposition se gausse et que les réseaux sociaux s'en donnent à cœur joie.

8 h 15

— Un démenti de Matignon vient de sortir ? Mais il y a des règles de solidarité gouvernementale, pleurniche le Don.

Bien sûr. Et une licorne vient de bondir entre deux arcs-en-ciel.

— La baisse des impôts n'est aujourd'hui pas un débat, insiste Herr Kaiser.

— Mais je n'y comprends rien. Dans les derniers documents que j'ai reçus, il était écrit que nous espérions ne plus avoir recours aux impôts, proteste le Don d'une voix geignarde.

— Ne plus avoir recours aux HAUSSES d'impôts, clarifie Paul. Vous voyez la nuance ? Sachant que cela relève de la pensée magique, au moins pour les trois prochaines années.

— Ce qu'on traduit par « les substantielles économies dégagées par les réformes en préparation nous permettront une décélération des prélèvements obligatoires, prélude à leur stabilisation », explicite Herr Kaiser.

— Hein ?

— Les gens ont besoin de savoir que les membres du gouvernement se serrent également la ceinture. Je vous ai préparé des notes.

— Mais il faut que je les digère, proteste notre héros.

— Nous n'avons pas le temps pour ça, je vous rappelle que vous passez dans trente minutes sur France Inter. Tout ce qu'on vous demande, c'est de lire ce qui vous a été préparé. À la virgule près.

— Mais ça veut dire quoi, « Il apparaît aujourd'hui nécessaire d'encourager les acteurs publics qui y ont le moins contribué jusqu'alors à mieux partager l'effort de rigueur » ?

— Que les collectivités et les organismes sociaux doivent enfin se serrer la ceinture ! traduit Herr Kaiser.

— Et si on me demande des chiffres ?

— Vous bottez en touche en disant que vous avez une idée des chiffres mais qu'il est prématuré de l'indiquer. Ce matin, vous avez parlé d'une structure qui allait être

119

créée. Elle le sera, conclut Herr Kaiser en entraînant Paul à l'écart.

— Tu viens avec moi, lui murmure-t-elle. Dès qu'on entend le générique de fin, on le sort physiquement du studio. Pas de off, pas de discussion avec le journaliste, rien. Je lui arrache son micro et on l'escorte jusqu'à la voiture. À l'aller, il faut qu'on trouve un nom pour son comité Théodule.

10 h 20

Nous écoutons le Don annoncer la création imminente du Haut Conseil à la Rationalisation Solidaire pour une Dépense plus Juste lorsque la sonnerie de mon portable retentit.

— Téléphone ! précise Coconne qui a zappé son jour férié et ne me quitte pas d'une semelle depuis ce matin de peur de rater une miette de cette trépidante journée.

Mon beau-frère.

Comme si la situation n'était pas assez pénible comme ça.

— Je tenais à te féliciter pour cette idée géniale ! Diviser les impôts par deux, ça, c'est une bonne décision ! Je ne dis pas souvent du bien de toi, mais pour une fois, tu m'épates.

Pour une raison que j'ignore, Marc s'est persuadé que je suis le bras droit du ministre des Finances.

J'ai beau lui dire que mes marges de manœuvre ne dépassent pas la rédaction de notes, certes parfois virulentes, il n'en démord pas : je travaille au gouvernement donc appelle tous les ministres par leur prénom et suis dotée d'un réel pouvoir d'influence sur la politique de notre pays.

– Où as-tu vu ça ?

– Tu plaisantes ? On ne parle que de ça. 88 % des Français interrogés y sont favorables alors que le président plafonne à 11 % de popularité, c'est suffisamment rare pour être noté, s'enthousiasme-t-il.

– Un sondage ? Où ?

– Ben je sais pas, c'est le voisin qui vient de me dire ça pendant qu'on taillait la haie.

Voilà qui m'aide grandement.

– Pourrait-il te préciser d'où il sort ces chiffres ?

– Tu veux que je lui demande ?

– Par exemple.

Lorsque Marc rappelle cinq minutes plus tard, il m'informe, dans l'ordre, qu'il ne veut pas se mettre en retard à son match de tennis, qu'il paye suffisamment d'impôts pour ne pas en plus faire le job de fonctionnaires payés grâce à lui, que ma sœur voudrait savoir si je veux récupérer pour Arthur trois pantalons quasi neufs de Louis qui vient de faire une poussée de croissance, et que son voisin aurait lu ça sur Twitter.

Ce serait dommage. Effectivement. Merci, c'est gentil, il sera ravi. Tu me sauves la vie.

15 h 30

De la porte close du bureau du Don s'échappe un aboiement sonore pendant que son assistante croit utile de nous préciser :

– Monsieur le Ministre est un peu tendu aujourd'hui.

Soit, en français : le Don s'est fait étriller comme il le mérite par le chef du gouvernement et n'est pas à prendre avec des pincettes.

Nous pénétrons dans l'antre. Le Don compulse les journaux du jour en s'épongeant le front.

— Oh là là, geint-il. J'ai vraiment pas de chance.

Comme si la chance avait quelque chose à voir là-dedans.

— Vous comprenez, enchaîne-t-il. Je ne voudrais pas que cette malencontreuse histoire ressurgisse lorsque j'aurai mon propre ministère d'État.

Si au lieu de mobiliser toute son énergie sur un futur improbable, il se concentrait un tant soit peu sur un présent tangiblement déliquescent, on avancerait plus vite !

Avisant nos airs consternés, le Don fronce les sourcils et bafouille :

— Vous ne pensez tout de même pas que le Premier ministre pourrait me virer ?

— Mais non, rassure Coconne. Ça montrerait à tout le monde qu'il s'est gouré en vous nommant. Ne vous inquiétez pas, il est com-plè-te-ment coin-cé, conclut-elle en détachant soigneusement les syllabes au cas où nous n'aurions pas bien entendu.

— Mais enfin, qu'est-ce que vous foutez là ? s'énerve Paul en poussant Coconne dans le couloir.

— C'est l'heure de ma pause, proteste-t-elle.

— Une pause entre quoi et quoi, cette fois ? grogne notre directeur.

Un café et une clope ?

— Par ailleurs, pouvez-vous nous expliquer pourquoi vous faites vos pauses dans le bureau du ministre ?

Coralie hausse les épaules et balaie la réflexion d'un geste ennuyé.

De minimis non curat praetor[1].

---

1. « Le préteur ne doit pas s'occuper des choses insignifiantes. »

– J'ai bien réfléchi, développe-t-elle avec son air des grands jours.

Comme si la situation n'était pas suffisamment absurde.

– J'ai lu des trucs sur Internet.

Misère.

– Et je suppose que vous n'allez pas en rester là et nous faire part de l'incroyable découverte que vous avez faite, grommelle Paul.

Mon assistante lui décoche un regard noir empreint d'une noble condescendance type « ça me fait plus de peine qu'à vous, mais je ne prononcerai mot ».

– Les Français, ils veulent payer moins d'impôts. Le ministre, C'estMonMaire, vous savez, a annoncé qu'il allait les diminuer. Alors pourquoi vous ne les baissez pas tout simplement ?

– Parce que dans le monde réel, celui où la dette explose et où les déficits se creusent encore plus vite que vous proférez une ânerie, diminuer nos recettes est impossible.

Jeudi 7 mai

9 h 40

Paul nous distribue les suppliques que chaque ministre envoie annuellement afin d'expliquer pourquoi lui a *vraiment* besoin de plus d'argent, même s'il conçoit aisément qu'en période de crise la rigueur est de mise.

– Je vous rappelle que la dette s'achemine gaillardement vers 2 000 milliards d'euros, donc vous sabrez tout ce que vous pouvez.

Notre directeur est au service de l'intérêt général, mais a tendance à penser qu'il est le seul à l'incarner.

Amstrad nous dispense l'un de ses rares sourires à l'idée de s'adonner à son activité favorite : désosser le budget de chaque ministère pour supprimer toute dépense superflue. Armé de son Bic rouge et d'un surligneur, il raye, flèche et rature avec délectation. Chaque année, il ressort de l'exercice légèrement essoufflé, le visage rosi de plaisir.

Puis nous recevons chaque ministre dépensier – ils dépensent de l'argent, d'où leur nom, Coralie – pour lui expliquer pourquoi on lui rabote son budget au nom du bon sens et de l'équilibre budgétaire.

– Pierre de Montmaur va prendre la tête du Cabinet, nous annonce notre directeur.

S'il n'a trouvé que le Marquis pour nous sortir de ce pétrin, l'heure est plus grave que je ne pensais.

– Alix est au courant ?

– On ne peut raisonnablement pas envisager de la maintenir à son poste. Imaginez la tête des ministres et de leurs équipes si, pendant les conférences budgétaires, elle commence à disserter sur l'approche transversale et surplombante de la mutualisation des synergies dans un contexte de développement durable et citoyen des politiques publiques !

Effectivement.

– Si on la rétrograde chef de cab en lui faisant miroiter qu'il s'agit d'une promotion, elle devrait le croire non ? dit Paul d'un air sceptique.

– Elle n'est pas idiote à ce point-là, s'étouffe Amstrad. Non, elle l'est au-delà.

Lundi 11 mai

10 h 45

Paul bat le rappel dans le couloir et procède à une dernière revue des troupes devant le bureau du Don.

– Je ne veux pas vous entendre parler, nous prévient-il. Vous faites uniquement acte de présence. Vous avez juste le droit de hocher la tête quand je parle. Je veux un front soudé ! Go !

Nous entrons dans la tanière du Grand Homme et nous installons, debout, derrière Paul.

– J'ai une excellente nouvelle à vous annoncer, Monsieur le Ministre, explique-t-il avec une déférence, qui, lorsqu'on parle au Don, me semble toujours aussi incongrue. On a donné quelques coups de sonde. Les gens sont très favorables à l'instauration du Haut Conseil à la Rationalisation Solidaire pour une Dépense plus Juste.

– Nous avons bien évidemment la majorité, se réjouit notre édile.

– 54 %, confirme Paul en s'empressant d'ajouter qu'en mettant l'accent sur la com, on peut atteindre les 60-65 %.

– J'ai toujours de bonnes idées, se félicite le vaniteux. C'est ce que me répète mon grand ami Selten. Et évidemment, je lui retourne le compliment. Une pointure pareille aux Transports, c'est du gâchis. Il serait tellement mieux à l'Intérieur.

– Je m'en remets à votre analyse, enclenche Paul. Concernant le Haut Conseil, vous êtes une pièce maîtresse de ce dispositif, un atout indispensable de la politique budgétaire française...

L'autre ronronne de plaisir.

– En revanche, il me semble nécessaire d'envisager une restructuration de votre cabinet afin de le rendre encore plus réactif qu'il ne l'est aujourd'hui, continue notre directeur en poussant les journaux dans sa direction. Ce serait regrettable pour la France que vous ne puissiez exprimer tout votre talent...

– Je ne sais pas trop, hésite le Don dans un sursaut de loyauté vite effacé par la perspective de se hausser sur la marche supérieure du pouvoir.

– Ce pays a besoin de vous..., surenchérit Paul pendant que, derrière lui, nous nous concentrons pour ne pas exploser de rire.

– Vous devez avoir raison, conclut-il avant de décrocher son téléphone et de demander à sa secrétaire de faire rappliquer Alix. Je pense que ce serait mieux que vous voyiez tout ça directement avec elle. J'ai rendez-vous avec Selten, de toute façon, conclut-il.

Sans nous dire ce qu'il compte manigancer avec le ministre des Transports, le Don se lève et cavale vers la sortie afin d'être sûr de ne pas croiser sa future ex-dir' cab.

Qui surgit, arborant son habituelle moue de mépris.

– Je suis surbookée, donc faites vite, nous annonce-t-elle d'un ton exaspéré, avant de grommeler qu'on n'a aucune idée de la pression intolérable à laquelle elle est quotidiennement soumise.

– Nous en avons longuement discuté avec Monsieur le Ministre et nous sommes tombés d'accord pour dire que chef de cabinet serait un poste à la hauteur de vos compétences, explique Paul.

– Dites-m'en plus.

– Un *chef* de cabinet est une sorte de *super*intendant qui gère l'agenda, organise la vie du ministre. C'est un poste qui demande beaucoup de *doigté*, d'*intelligence*, d'*aptitude* à répondre à de nombreux *challenges*.

Alix semble conquise et nous adoptons un silence solennel afin que l'autre boursouflure mesure pleinement l'ampleur de la fantastique opportunité qui lui est offerte, quand s'élève très distinctement une voix que je reconnaîtrais entre mille :

– En fait, chef de cabinet, c'est le secrétaire du secrétaire, non ?

– Absolument pas, voyons !

– Qui est-ce ?

– Personne, coupe notre directeur en me fusillant du regard. Je vous propose de discuter de votre nouveau poste en privé. Je souhaitais également aborder la question du séminaire de finances de Marseille. Vous me la dégagez de là, tout de suite, poursuit-il d'un ton menaçant pendant que j'attrape ma Coconne sous le bras et la vire *manu militari* de la pièce.

Une heure plus tard, Paul sort du bureau et s'engouffre dans la salle de réunion.

– Elle accepte le poste de chef de cabinet, nous annonce-t-il. En revanche, elle veut la Légion d'honneur. J'ai laissé entendre que ça ne posait pas de problème, mais c'est hors de question. Je sais qu'on la brade, mais bon, à ce point, faut pas charrier non plus.

20 h 30

Tassé dans son fauteuil, le Don appose sa signature sans moufter au bas de chaque page que tourne pour lui le Marquis.

— Ça ressemble presque à un cabinet ministériel, se réjouit Paul en avisant le nouveau directeur et cinq conseillers anthracites, debout, bras croisés autour du bureau.

— Pourquoi « presque » ? demande Bébert avant de s'enfiler une poignée de M&M's, tête renversée en arrière.

— Vous êtes encore là, sauf erreur de ma part.

Mercredi 13 mai

14 h 15

L'Arlésien ayant défendu à Paul de laisser le Don promener son incompétence sans garde rapprochée et le tirage à la courte paille m'ayant encore désignée comme chanceuse, je me retrouve coincée entre Alix et la fenêtre de la voiture officielle, direction un centre des impôts flambant neuf d'une banlieue huppée.

Passées à la moulinette d'Herr Kaiser, les cérémonies d'inauguration, grands moments d'histoire où un politique coupe un ruban et bafouille quelques mots devant une dizaine de personnes qui ne songent qu'à prendre la fuite, se transforment en de formidables « outils de démocratie participative et de proximité où votre présence est évidemment indispensable ».

Trop occupé à réclamer un bureau à la hauteur de son nouveau statut, le Marquis s'est désisté à la dernière minute.

Un rapport sur les genoux – on se demande bien pourquoi –, le Don, écharpe rouge autour du cou et Ray-Ban Aviator vissées sur le nez, exulte :

– Au Conseil des ministres, le Président m'a donné la parole et m'a félicité pour mon intervention. Il pense évidemment que mon Haut Conseil à la Rationalisation Solidaire pour une Dépense plus Juste est une grande idée…

Et la marmotte, elle met le chocolat dans le papier d'alu.

– C'est la moindre des choses, décrète Alix. Aujourd'hui ministre du Budget, demain…

Dégagé avec perte et fracas, si ce monde n'est pas totalement pourri.

Une porte claque et celle du Don s'ouvre.

– Monsieur le Ministre, quel honneur vous nous faites de venir inaugurer notre centre !

Ah, la fraîcheur déconcertante de celui qui n'a jamais rencontré le Don ! Innocente victime qui ne sait pas qu'elle va être marquée à vie.

– Cher ami ! Il faut remercier mes services. J'avais un trou dans mon emploi du temps et ils me l'ont immédiatement comblé.

– Ils recrutent vraiment n'importe qui dans les ministères, fait aigrement remarquer Alix en passant devant moi, annihilant ma certitude qu'elle ne m'avait pas reconnue.

– C'est exactement la réflexion que je me faisais.

– Où sont les participants ? s'enquiert-elle en pénétrant dans le hall vide de l'établissement.

Même si ses capacités cognitives sont peu élevées, le Don pourrait bien se rendre compte qu'il n'y a personne.

– Enfin, reprend-elle, même s'il n'y a pas grand monde, Monsieur le Ministre remplit une pièce par son seul charisme.

Mon portable sonne. Je finis par vider mon sac dans le hall et en extrais mon iPhone, planqué sous un monticule de colifichets en plastique – « comme ça, tu ne t'ennuieras pas à ton travail, maman » –, de documents froissés et de mouchoirs en papier d'une propreté douteuse.

– Allô ?

– Oui, c'est Marielle, je ne te dérange pas, annonce-t-elle en enchaînant aussitôt : Les parents d'élèves m'ont désignée responsable des stands de la kermesse, je suis surexcitée. Je m'étais dit que tu pourrais tenir un stand. J'ai bon espoir de réussir à obtenir l'autorisation d'installer un lapinodrome.

– Un quoi ?

– On installe un lapin et les enfants parient sur la boîte d'où la délicieuse petite bête va sortir. Mais avec les associations de défense des animaux, ce n'est pas facile...

Encore heureux.

– Et c'est quand ?

– Tu me fais marcher ? s'étrangle-t-elle. La kermesse est le 27 juin, voyons. C'est sur le site de l'école.

Suis-je bête. Après tout, savoir que l'école que mes enfants vont définitivement quitter dans un mois et demi dispose d'un site Internet peut m'être utile.

– Tu sais, juin est une période très dense au ministère, donc je ne suis pas très disponible.

– Et aurais-tu le temps de participer à la confection des échasses en boîtes de conserve ? Tu imagines bien que ce n'est pas le genre d'horreurs qui entrent chez moi. Mais je me suis dit qu'avec ton rythme de vie, tu en consommes sans doute pas mal...

Connasse.

– Marielle, je dois te laisser, j'ai un double appel.

Avant que Mère Parfaite n'ait eu le temps de m'expliquer en quoi mes enfants seront marqués à vie si je ne tiens pas l'atelier de tiercé de pigeons voyageurs, je pianote sur mon téléphone :

– L'Arlésien vient d'appeler, siffle Paul. Il ne veut rien sur les impôts dans le discours.

– Nous sommes à l'inauguration d'un centre des impôts. De quoi voulez-vous qu'il parle ?

– Comme d'habitude. Il explique qu'il remplace le ministre qui s'excuse, il serre des mains et il sourit bêtement. C'est dans ses cordes, non ?

Samedi 16 mai

16 h 30

– On respire mal, tu ne trouves pas ? demande Élise pour la quatrième fois en vingt minutes.

Assise sur une serviette qu'elle a posée sur un banc du square – tu n'imagines même pas les maladies qu'on peut attraper dans ces endroits –, ma sœur ne lève les yeux de l'application « Air Quality » de son téléphone que pour surveiller ses enfants d'un air inquiet.

– Non, ça va.

– Tu dois être habituée avec tout cet air vicié que tes enfants et toi respirez. Je t'ai apporté quelques livres, m'informe-t-elle en me tendant un sac dont j'extirpe trois épais manuels.

— *Parler pour que les enfants écoutent, écouter pour que les enfants parlent* ?

— Tu verras, c'est beaucoup plus gratifiant que l'approche frontale.

— Quelle approche frontale ?

Tous les soirs, j'écoute mes deux enfants scolarisés dans la même classe, avec la même maîtresse, pratiquant les mêmes activités extrascolaires et fréquentant les mêmes amis me raconter deux journées totalement différentes.

— *Cent façons de se faire obéir (sans cris ni fessées)* ? Mais tu me prends pour une harpie ou quoi ? Arthur, si je te vois encore une fois tirer les cheveux de ta sœur, ça va chauffer pour ton matricule ! Bien sûr que si, tu l'as fait exprès, je t'ai vu. Emma, ne fais pas semblant de chouiner, il ne t'a pas arraché une touffe entière, que je sache ! Allez jouer. Calmement.

— C'est exactement ce genre de réaction qu'il est impératif d'éviter. Je te rappelle que tout se joue avant six ans, martèle ma sœur. Tu trouveras sans doute que cet ouvrage ressemble à *Parents efficaces au quotidien,* mais je dirais qu'ils sont plutôt complémentaires.

— J'ai hâte de m'y plonger.

— Laisser tes enfants libres de leurs choix est une approche éducative très intéressante, propose Élise dont la moue dégoûtée tendrait plutôt à indiquer qu'elle n'a qu'une envie : séparer ses enfants des miens pour éviter tout risque de contagion. Et tu sais, au fond, je t'admire. J'ai du mal à revoir mes exigences éducatives à la baisse. Alors que toi, ça ne te pose aucun souci.

Charmant.

– Arthur, il va sur le toboggan, rapporte Louis. Tout seul.

– Si je descends avec lui, je vais rester coincée.

– C'est la dame qui m'a dit de venir te le dire, rajoute mon neveu.

– Quelle dame ?

– Celle qui arrive, intervient ma sœur.

– J'ai envoyé ce petit garçon vous dire que votre fils est en haut du toboggan.

– Et ?

– En haut du to-bo-ggan, répète-t-elle en prenant soin d'articuler sans doute pour me faire réaliser l'ampleur du drame.

– Et ?

– Tout seul. C'est dangereux, s'insurge-t-elle.

Suis-je censée courir ventre à terre pour implorer mon fils de descendre de cet instrument du Malin ?

– Mais enfin, le toboggan fait un mètre cinquante et Arthur a bientôt six ans.

– Je ne veux pas me mêler de ce qui ne me regarde pas, commence ma sœur, mais il pourrait se pendre, avec ce maillot de bain dont tu l'as affublé.

– Tout à fait, renchérit la dame qui, ravie de voir qu'elle a une alliée, s'assied à côté de nous.

– Déjà, il s'est habillé tout seul. Ensuite, je ne vois pas comment on peut se stranguler par la taille. Enfin, ce n'est pas un maillot de bain mais un short.

Élise hausse les épaules et enchaîne immédiatement :

– Il y a plus grave, de toute façon. Le taux de PM 2.5 m'inquiète.

– Ah.

– Tu n'es pas sans savoir que plus les particules sont fines, plus elles sont néfastes pour la santé. Elles

133

pénètrent profondément dans l'appareil respiratoire et bloquent tout, conclut-elle d'un ton lugubre. Et je ne te parle même pas du NO2.

Effectivement, autant qu'elle n'en parle pas.

Lorsque ma sœur part dans ses délires, mieux vaut acquiescer, sous peine de se retrouver immédiatement dans la catégorie des irresponsables finis.

Catégorie dont j'ai été intronisée principale représentante lorsqu'elle a découvert que je jetais mes tickets de Carte bleue.

Mardi 19 mai

11 h 15

Coconne passe très peu de temps dans son bureau, trop occupée à récolter dans les couloirs son lot quotidien de ragots.

À voir son air radieux lorsqu'elle débarque – sans frapper – dans mon bureau, elle en tient un de taille.

– Ah ! s'exclame Paul. Justement, je voulais vous voir. Lorsque j'ai voulu réserver la salle de réunion pour la conférence budgétaire d'après-demain, on m'a informé qu'elle serait occupée par Coralie Montaigne. Vous n'avez rien de mieux à faire que de nous empêcher de bosser ?

– Déjà, non. J'ai pas grand-chose à faire, reconnaît notre assistante.

Je glapis d'indignation :

– Vous avez lu le mail dans lequel je vous demande de photocopier un dossier de trente pages ?

– Je n'ouvre plus mes mails. Il paraît qu'on peut attraper des virus. Et de toute façon, j'ai bien le droit de me réunir !

– De vous réunir ? Vous avez réservé la salle pour soliloquer ?

– C'est une réunion d'assistantes, mais pour le moment, personne n'a confirmé sa présence. Si je suis seule, j'en profiterai pour me recentrer sur moi, j'en ai bien besoin.

– Non, mais il vous manque un quart d'heure de cuisson ! explose Paul. J'annule votre réservation, vous vous réunirez bientôt à Pôle Emploi si ça continue, conclut-il avant de sortir de mon bureau.

– Mais c'est quoi ces conférences… budgétaires, c'est ça ? demande Coralie.

– Un jeu de rôle. Les ministres veulent de l'argent qu'on ne peut pas leur donner. Nous leur indiquons où couper et comment. Eux se prétendent exsangues, à l'os, et nous devons nous montrer inflexibles.

– Donc ils demandent de l'argent et vous leur dites « non » ?

– C'est un peu plus compliqué que ça.

– Vous allez leur dire « oui » ?

– Non. Nous allons leur dire « non », mais nous allons y mettre suffisamment les formes pour qu'ils se sentent privilégiés par rapport aux autres, même si cela n'est pas le cas.

Jeudi 21 mai

11 h 30

— Ils ont mijoté combien de temps ? s'enquiert Paul alors que nous nous rendons au premier duel Bercy versus ministères dépensiers.

— Une bonne heure et demie.

— On attend encore un quart d'heure et on y va. Duvalier et Pierre nous rejoignent sur place.

— Vous ne trouvez pas qu'avec ma nouvelle chemise, j'envoie du bois ? demande Coconne en nous emboîtant le pas gaiement.

— Vous avez plutôt l'air de partir en couper, grince Paul. Par ailleurs, il me semble bien que j'ai expressément demandé que ce ne soit pas vous qui assistiez à la conférence.

Je décide d'intervenir.

— Votre assistante est en congé, donc c'est soit Coralie, soit personne.

— Honnêtement, je préférerais prendre les notes moi-même, râle Paul. Vous avez pensé aux dossiers, au moins ? ajoute-t-il en se tournant vers mon assistante qui n'en finit pas de tourner sa cuillère dans son café.

— Oh zut. J'ai complètement oublié. C'est pas ma faute, je suis pas du matin.

— Il est presque midi ! s'étrangle mon directeur pendant que j'agite la chemise comportant les documents indispensables à la tenue de la conférence budgétaire. Ils arrivent à quatre, il n'y a que trois chaises, rien à manger, rien à boire. Autant dire que toutes les condi-

tions sont réunies pour qu'on tope dans les plus brefs délais.

11 h 50

Lorsque nous arrivons devant la salle de réunion, la ministre des Droits des femmes, de la Culture et de la Communication fait les cent pas devant la porte de l'antichambre en morigénant son directeur de cabinet.

— Elle n'aurait pas fait quelque chose ? Au niveau du visage, chuchote Paul.

J'ose espérer que c'est une question rhétorique. Elle est tellement tirée dans tous les sens qu'elle ne ressemble à rien. Ou plutôt, si. À une créature évanescente, débarquée sur Terre pour adorer le dieu Botox.

— Son assistante m'a dit qu'elle avait fait quelques petites injections, nous explique Coconne.

Un clystère d'acide hyaluronique n'aurait pas fait autant de dégâts.

— Bah, au moins, elle a bonne mine, reprend-elle. Vous, par contre, qu'est-ce que vous avez les traits tirés ! Surtout à gauche. Vous ne faites pas un AVC, au moins ? s'inquiète-t-elle.

— Continuez et je risque d'en faire un.

— Moi, je trouve qu'elle a l'air sympa, elle au moins.

Bérengère Saint-Vrain a de grandes qualités, mais même son admirateur le plus fervent ne pourrait la décrire comme sympathique. L'air de perpétuellement faire ses comptes, les sourcils froncés de devoir recommencer inlassablement l'addition, elle oscille habituellement du maussade au colérique. Elle aperçoit le Don et le gratifie d'un grognement agacé.

— Bonjour, ma très chère collègue ! s'exclame le Don.

– Commencez déjà par me dire bonjour quand vous me croisez en Conseil des ministres.

– Je ne vous avais pas reconnue, balbutie le Don avant d'enchaîner : Vous avez changé de coupe de cheveux, c'est sans doute pour ça.

– Tout le monde me dit que ça me rajeunit.

Une chose est sûre : cette femme est entourée de faux derches.

– Ça fait presque deux heures que je patiente dans votre détestable antichambre ! Vous vous moquez vraiment du monde !

Paul fait craquer ses phalanges pendant que Coconne secoue la tête au rythme de la dernière chanson qu'elle a entendue à la radio.

La ministre n'a pas passé le seuil de la salle de réunion qu'elle commence à vociférer que son budget est massacré et que c'est intolérable.

Le Don se vante d'avoir pratiqué intensément le rugby. On pourrait penser qu'un type qui s'est fait piétiner la figure tous les week-ends durant sa jeunesse serait immunisé contre la colère d'une harpie.

Que nenni.

Elle se met à hurler et il se contracte comme un escargot dans du sel, en bredouillant qu'il est tenu par les consignes de Matignon. Pour quelqu'un capable de tirer sur l'oreille de son adversaire jusqu'à ce que le cartilage cède et qu'il s'évanouisse avant de lâcher le précieux ballon ovale, il manque curieusement d'agressivité.

– Ce n'est pas ma faute, explique-t-il à ses chaussures.

D'une toute petite voix, il commence à dévider son chapelet de litanies habituelles. Ils ont trouvé les finances dans un tel état de délabrement qu'ils ne disposent d'aucune marge de manœuvre. S'il ne tenait qu'à lui,

évidemment qu'il allouerait le budget nécessaire à ce merveilleux projet de musée de la tondeuse à gazon et donnerait immédiatement satisfaction à ces merveilleux intermittents du spectacle si sympathiques.

Bercés par le bruit de fond, Paul et moi les laissons s'écharper.

– Matignon tranchera, feule Bérengère en se levant d'un bond avant de quitter la pièce et de cavaler vers l'ascenseur, son équipe sur les talons.

– On gère la dette de nos prédécesseurs, se désole le Don avant de repartir, épaules courbées, vers son bureau.

– Lorsqu'elle sera empêtrée jusqu'au cou dans la réforme des musées, elle n'aura plus beaucoup de temps pour venir nous emmerder, décrète Paul en se levant. Vraiment, ça pourrait être pire.

Effectivement, ça pourrait : en rentrant dans mon bureau, m'attendait dans ma boîte un mail d'Alix nous annonçant que le début de la semaine prochaine serait consacré à « un stage d'activités cohésives » destiné à développer le « liant » et l'« esprit fondateur » de l'identité de la direction du Budget et de la « modernisation des services ».

Lundi 25 mai

9 h 10

Bien que n'ayant toujours pas compris qui faisait quoi au cinquième étage, Alix avait décrété que nous manquions d'esprit d'équipe. Il fallait nous ressaisir rapidement.

Après avoir essayé, à plusieurs reprises, de travailler en équipe face à une armée de sous-directeurs du ministère farouchement individualistes, le temps de prendre le problème à bras le corps était venu.

Un séminaire de cohésion et de motivation !

Voilà qui regonflerait les cadres flapis que nous étions et nous redonnerait l'envie d'avoir envie.

Habitués aux lubies de cette spécialiste de l'annonce sans lendemain, nous n'avons pas pris sa menace au sérieux alors que son mail indiquait pourtant clairement de nous munir de vêtements et de chaussures de sport.

Nous aurions dû.

– Allez, hop, hop, hop ! Paraît que vous êtes les élites de la nation ?

– C'est vrai, ça, qu'on est des élites, remarque Coconne pendant que le psychopathe recruté par Alix continue d'aboyer.

– Des comme vous, j'en avale quatre au p'tit déj. C'est la guerre là ! C'est vous qu'allez la gagner pour vot'pays ? Moi j'crois pas. On continue de pomper, c'est mou, vous êtes mous !

– Quand je pense que j'ai réussi à me faire réformer P4 et qu'à cinquante-deux ans, on m'oblige à faire des pompes ! halète Paul.

– C'est un séminaire de team building destiné à identifier des valeurs communes afin de créer un sentiment d'appartenance pour faciliter la transversalité et le fonctionnement quotidien, c'est très utile, intervient le Marquis transformé en mare de sueur.

– Et de faire faire des pompes à la direction, ça nous aide vraiment à travailler avec les autres ?

– Museau ! s'énerve celui qui ne peut être qu'un légionnaire ayant récemment écopé d'un redressement fiscal. Si vous voulez l'ouvrir, chantez *La Marseillaise* !

Parce que son pays, faut l'connaître. Vous allez m'la chanter, que je veux qu'on vous entende à des kilomètres !

– Il plaisante, j'espère ? s'insurge Paul alors que Coconne entame docilement l'hymne national.

– C'est mou, c'est nul, Roger de Lille et toute la nation ont honte de vous. En haut, en bas, en haut, en bas…

– Roger de Lille ? Coralie, vous nous aviez caché que vous aviez un cousin.

– Je ne voudrais pas vous inquiéter, mais j'ai mal au bras gauche et Docteur House dit que c'est un des signes avant-coureurs d'une fracture du myocarde !

– Surtout, ne vous arrêtez pas de pomper, Coralie ! Avec un peu de chance, c'est vraiment un infarctus, reprend Paul. Neuf mois avec l'équipe précédente et pas un moment je n'ai songé à démissionner. Apportez-moi la feuille maintenant et je la signe, le stylo coincé entre les dents. Même chez Google, ils ont arrêté les séminaires.

Hulk parcourt du regard notre brochette de larves pantelantes. Il tape du pied devant moi et hurle :

– Vous appelez ça des pompes ?

Loin de moi cette idée !

Après une bonne quinzaine d'années de cours de sport à tenter des roulades arrière, invariablement de travers, et à me prendre des ballons en pleine poire, je ferais preuve d'une outrecuidance à toute épreuve si je baptisais mes légers haussements fessiers « pompes ».

– Repos ! J'vous retrouve dans deux heures. Y a du boulot avec vous ! Et j'ai deux jours pour vous transformer en quelque chose, bande de tafiottes. En attendant, j'te les laisse, indique-t-il à un collègue.

Au son d'une musique lénifiante, une caricature de hippie en sarouel s'assied en tailleur et annonce :

– Le stress au travail n'existe pas. C'est un stress personnel que vous importez au bureau, poursuit notre nouveau tortionnaire. D'où l'importance d'avoir une vie parfaitement saine à l'extérieur. Pas de cigarettes, pas de gras, pas d'alcool ! Oui aux infusions à la sauge ! Quant au sexe, on oublie !

– Je me demande si je ne préférais pas l'autre prof...

– Un manager moderne est un manager sain, reprend le Clochard Céleste. *Mens sana in corpore sano.*

– Si je puis me permettre, intervient Amstrad qui n'a toujours pas desserré son nœud de cravate, la citation exacte de la dixième *Satire* de Juvénal est « *Orandum est, ut sit mens sana in corpore sano* », qui peut être traduite par « Il faut prier afin d'obtenir un esprit sain dans un corps sain ». La spiritualité n'est pas du tout englobée dans la notion de *mens*, puisqu'il s'agit en effet de la santé mentale, l'intelligence, si vous préférez. Par ailleurs, la notion de « sain » était différente à l'époque. Cette citation, que vous me semblez mal maîtriser, signifie juste qu'on ne peut pas séparer le corps de la santé mentale, ce qui était une révolution à l'époque.

Notre coach en motivation le regarde comme s'il était dément, ce qui – ne nous voilons pas la face – est sans doute un peu le cas.

– Mille cinq cents euros la journée pour qu'un puceau dépressif nous dispense des préceptes débiles ! marmonne Paul. Il peut se carrer son Code soleil de l'Administration où je pense !

17 h 45

L'autre dingue est de retour.

– Alors les tarlouzes, c'était bien l'école ? J'espère que vous en avez bien profité parce que maintenant, fini la fête du slip, vous êtes à ma pogne ! Pour ceux qui espéraient tortorer chaud et roupiller tranquille, on oublie ! Montez là-dedans ! hurle-t-il en nous montrant un camion pourri dans lequel nous nous entassons.

– Je veux rentrer à la mairie, geint Coconne pendant que Paul, les mâchoires contractées, tripote son téléphone pour tenter de nous géolocaliser.

– On se dirige vers Rambouillet, nous informe-t-il. Laissez-moi vous dire qu'à peine rentré, je fais muter cette conne d'Alix en Syrie. Rambouillet ! La campagne ! Elle est complètement folle !

18 h 30

Nous nous extrayons du camion pour découvrir qu'effectivement nous sommes en pleine forêt et que, de toute évidence, la nuit dans un trois étoiles n'est pas dans les projets immédiats de Hulk.

– Cette nuit, c'est camping ! Alors vous sortez les hamacs et les bâches, et vous me faites un carbet.

– C'est une blague ? s'étrangle Paul.

– Retour à la vie simple, pour réfléchir à notre manière de vivre, c'est merveilleux, s'extasie le Marquis pendant que Coconne, agrippée à mon bras, me raconte en détail le dernier article de *Détective* sobrement intitulé « Camping mortel ».

– Pour la bouffe vous avez reçu des rations individuelles de combat. Ouvrez-les ! Bon, tout ce qui est chocolat et sucre, foutez-moi ça par terre ! Ça fait du gras dans le bas du ventre. Vous voulez être gros comme des Américains ? Exécution ! Et comme on n'est pas des Américains, on remplace le chocolat et toutes ces merdes par des pompes ! En haut, en bas ! Les rations, c'est que pour la survie. Pour manger frais,

143

vous avez qu'à chasser et pêcher. Vous avez dans le barda les lignes et le couteau qui vont bien, je reviens demain matin, annonce-t-il en nous lançant un sac, avant de tourner les talons et de remonter dans le camion.

— Au secooooours ! se met à hurler Coconne. On va tous mourir de froid et de faim, on va se faire dévorer par des bêtes sauvages !

— Dans la forêt de Rambouillet, le risque est limité, je tente de la rassurer tout en vérifiant discrètement sur Google ce que donne la requête « loup + forêt de Rambouillet ».

Au cas où.

— Coralie, arrêtez de bramer comme un vieux cerf, on ne s'entend plus, ordonne Paul. Bon, Zoé, qu'est-ce qu'ils disent sur Internet ?

— De cueillir des orties en attrapant leur tête à rebrousse-poil. Enroulées à l'envers, les feuilles se mangent crues.

— Pierre, va nous cueillir des orties, décide Paul, l'air suffisamment exaspéré pour que le Marquis s'exécute sans broncher. La suite, c'est quoi ?

— Il faut allumer un feu par friction en frottant des cailloux.

— Faire un feu avec des pierres nécessite du silex et de la marcassite, et on n'en trouve pas ici, rétorque Amstrad en vérifiant ses boutons de manchettes.

— Avec deux bouts de bois, alors ?

— Ça prend des heures. Coralie, avec quinze pauses cigarette par jour, vous devez bien avoir un briquet ? Parfait. Avec les rations de survie, ça ira très bien.

— On rappelle Pierre pour lui dire d'arrêter de cueillir des orties ?

– Hors de question, tranche Paul. Il commence à sérieusement me courir sur le haricot, lui aussi.

23 h 30

Un hurlement suivi d'un bruit sourd me réveille en sursaut. J'attrape ma lampe de poche, la braque vers le bruit et aperçois Coconne les quatre fers en l'air sous son hamac.

– Je suis tombée, me précise-t-elle à toutes fins utiles. Au secoooours ! se met-elle à glapir. Un serpent, on va tous mourir !

Une seconde lampe s'allume. Amstrad descend de son lit de fortune et resserre son nœud de cravate.

– Oh, une *anguis fragilis*, diagnostique-t-il.

– On va tous mourir ! continue de s'égosiller Coconne.

– C'est une espèce de sauriens de la famille des Anguidac, développe Amstrad.

– Mais encore ?

– Un orvet.

– Armand, épargnez-nous votre cours de zoologie et venez-en aux faits, s'agace Paul.

– La science qui étudie les reptiles et les amphibiens s'appelle l'herpétologie, précise notre érudit, déclenchant un gémissement de Paul.

– Putain, tout ce qu'on veut savoir, c'est si c'est dangereux ! se met-il à brailler.

– C'est un lézard sans pattes inoffensif, balbutie Amstrad en se repliant vers son hamac.

– Je vous jure que si j'entends un bruit, je vous étrangle moi-même, conclut Paul.

Mardi 26 mai

5 h 00

Un clairon nous fait bondir. Mon hamac s'enroule et je me ramasse par terre.

— Alors les filles, bien dormi ? Bien dîné ? Ha ha ! Maintenant, c'est bon, l'élite de la nation, on rentre au camp. Qu'est-ce que vous faites ?

— Ben on va dans le camion, explicite Paul.

— Moi, je rentre en camion. Vous, vous rentrez au camp à pied.

— En tant que directeur du Budget et excellent ami du directeur général des impôts, je vous suggère de cesser immédiatement cette plaisanterie.

— Halte au sketch ! On arrête de psychoter et on se prépare, grogne le cinglé. Vous irez par binômes de deux.

— C'est un pléonasme, intervient Amstrad.

— Si t'as une plaie là où qu'tu dis, mets-y un pansement, la Cravate. C'est pas ça qui t'empêchera de marcher comme les autres. Comme la Patrie ne veut pas se priver de guerriers tels que vous, j'vous explique comment rentrer. Voilà : pour chaque binôme, une carte et une boussole. Sur la carte j'ai marqué là où qu'on est et là où qu'est le camp. Pleurnichez pas, c'est qu'à dix bornes ! Pour la boussole, je vous montre. D'abord il faut savoir que la flèche indique quoi ? Le nord ! Alors vous voyez le nord sur la carte et le nord avec la boussole et vous vous dirigez comme ça. Important : il faut prendre des points de repère pendant le mouvement.

Je fais un exemple : ma boussole m'indique le nord où que j'dois aller. Je chouffe un point de repère visible et qui bouge pas, et je fais mouvement vers lui. Là, cet arbre, il est au nord de ma boussole et je fais mouvement vers lui en surveillant ma boussole. Reçu ? Si vous faites à l'imitation, vous vous perdrez pas.

– Mais s'il y a des obstacles et qu'on doit faire des détours ? demande Amstrad.

– Y a pas d'obstacles qui tiennent, t'y vas à l'azimut. En route les nouilles, j'vous attends au camp, une bière fraîche à la main. Les pêchus qui arriveront les premiers auront le droit de pas pomper. Pour les deuxièmes, ça sera cent, deux cents pour les troisièmes et ainsi de suite, conclut-il en remontant dans son camion et en démarrant.

– Les plaisanteries les plus courtes sont les meilleures, décrète Paul. Zoé, trouvez-moi le numéro d'un taxi.

– C'est pas très fair-play, proteste le Marquis en soufflant sur ses doigts ravagés par les piqûres d'ortie.

– Je n'ai jamais dit qu'il y aurait une place pour toi dans le taxi. Allez, à l'azimut, Rambo ! ordonne Paul en composant le numéro de la société de taxis.

Jeudi 28 mai

14 h 45

– Où est le ministre ? Nous avons une conférence budgétaire avec l'Écologie dans dix minutes.

Sans se donner la peine de masquer sa contrariété d'être dérangée en pleine partie de sudoku, la secrétaire du Don marmonne :

– Il est en déplacement au Salon intercommunal du travail agraire.

– Mais qu'est-ce qu'il va foutre là-bas ? tonne Paul. Taquiner le pis d'une vache ?

– C'est vous qui l'y avez envoyé, fait-elle remarquer en ajoutant un chiffre à sa grille.

Paul abat un poing rageur sur sa cuisse et repart à grands pas dans la salle de réunion devant laquelle nos interlocuteurs font les cent pas.

– Je vous prie de bien vouloir excuser l'absence du ministre, retenu en province par une urgence.

– Nous écoutons la radio, rétorque le directeur de cabinet du ministre de l'Écologie d'une voix pincée. Monsieur Duvalier fait l'ouverture du Salon intercommunal du travail agraire, ce qui était prévu dans son agenda depuis plus de deux semaines.

– Les approximations sont décidément très en vogue ici, intervient son patron.

– Je vous demande pardon ?

– Votre service essaie de me faire passer pour un dépensier, s'insurge le ministre.

Spécialiste *ès* niches fiscales rebaptisées « niches vertes », il se lance dans un discours dont il ressort clairement que nous sommes des monstres inconscients de l'apocalypse qui s'annonce avec ce projet dément de budget.

Paul écoute le duo expliquer qu'il est impératif de débloquer des fonds pour telle ou telle structure qui concourt à la mise en place d'une action solidarisante et permet d'appréhender la forêt sous un angle écologique et économique, mais aussi sous l'angle spirituel, trop souvent oublié, avant d'exploser :

– Pendant des années, vous nous avez pourri l'existence avec votre trou dans la couche d'ozone ! finit-il par lancer. Une fois que de vrais scientifiques avec de vrais diplômes ont conclu que les pets des vaches étaient quasiment plus dangereux que l'industrie, vous avez enchaîné sur le réchauffement climatique. Alors, au lieu de demander une rallonge budgétaire, allez passer vos prochaines vacances d'été en Bretagne et vous m'en direz des nouvelles, de votre réchauffement climatique !

– Mais voyons, gardez votre calme !

– Mes services ont épluché votre budget. Vous externalisez du boulot que vous pourriez faire en interne tout en maintenant au ministère des agents « en appui ». Ils n'appuient rien du tout ! Ils font doublon !

– Vous ne comprenez rien à la politique !

– Je comprends que les agences de l'État coûtent 50 millards d'euros par an aux contribuables. Il est hors de question de continuer à créer et financer une antenne par espèce à protéger.

– Vous êtes des robots. Vous refusez de prendre en compte la réalité du terrain.

Paul est clairement arrivé au bout du rouleau.

– Laissez-moi réfléchir : vaut-il mieux allouer 100 millions d'euros à l'hébergement d'urgence ou, comme vous semblez le suggérer, à la protection du pique-prune ?

– Je vous retourne la question, rétorque d'un ton pincé le ministre de l'Écologie : vaut-il mieux allouer 100 millions à une association de protection d'une espèce en voie de disparition ou dix fois plus à la construction de lignes de télécabines entre Paris ct la lointaine banlieue ? Le budget des Transports augmente et, comme par hasard, outre votre idée délirante d'un téléphérique de banlieue, plusieurs projets annoncés sont pile dans la circonscription de votre secrétaire d'État ! Je pense que la presse sera très intéressée par toutes ces coïncidences…

17 h 45

Nous sortons de la salle de réunion quand Paul me fait signe de le suivre. Je cavale derrière lui et nous nous engouffrons dans le bureau de la secrétaire du Don que nous manquons de percuter.

— Il est l'heure, je pars, nous informe-t-elle, aigrement.

— Je n'en attendais pas moins de vous. Il est où ?

— Il vient de rentrer, mais je ne sais pas s'il est disponible.

— Il l'est, réplique Paul en entrant d'autorité dans le bureau. Monsieur le Ministre, lors de la conférence budgétaire que nous avons tenue avec le ministère de l'Écologie, nous avons été surpris d'apprendre que le budget des Transports allait augmenter. Sachant que je suis bien certain de n'avoir fait aucune projection dans ce sens, je voulais vous en parler.

— Je voulais justement vous voir. Dans le budget tel que vous me l'avez annoncé, il manque 950 millions, annonce l'autre âne bâté avec légèreté, comme s'il s'agissait d'un détail négligeable.

— 950 millions pour faire quoi ? glapit Paul.

Un quart d'heure plus tard, il ressort des borborygmes du Don qu'il a accordé une rallonge symbolique, paraît-il, de près de un milliard d'euros au ministre des Transports pour un projet très technique de mise en place de télécabines qui relieraient Paris et certaines de ses banlieues. Il n'est pas persuadé de pouvoir nous en expliquer les détails maintenant mais nous aurons, paraît-il, largement le temps de voir une fois le projet lancé.

– Ces villes sont toutes raccordées à Paris via le RER ou les trains de banlieue, objecte Paul.

– Certes, mais vous ne pouvez pas nier que ces trains sont bondés.

– Et au lieu de proposer d'en augmenter la fréquence, vous suggérez la mise en place de télécabines ? Comme dans les stations de ski, c'est bien ça, je ne me trompe pas ?

– C'est exactement ça.

– Loin de moi l'idée de discuter l'opportunité d'un projet aussi séduisant, mais en l'occurrence nous n'avons pas les moyens d'augmenter le budget des Transports pour transformer l'Île-de-France en station de ski sans neige, et croyez bien que je le regrette.

– Nous avons décidé d'étudier ce budget directement avec le Premier ministre, déclare le Don en soupirant contre autant de mauvaise volonté. Par ailleurs, je vous rappelle que le ministre, c'est moi. Je décide, vous exécutez !

– Et moi, je vous rappelle que nous avons un impératif d'équilibre budgétaire et de réduction des déficits.

– Vous m'emmerdez ! Les budgets sont tellement restreints que des ministères aussi primordiaux que les Transports n'auront bientôt plus les moyens de se payer un taille-crayon. Je vous signale que, pendant ma campagne, j'ai fait des promesses que je compte bien tenir.

– Mais personne ne s'en souvient, voyons !

– Tout le monde s'en souvient. J'ai fait le buzz, proteste le Don.

– Un chaton lancé contre un mur a aussi fait le buzz ! Et je suis convaincu que plus de personnes se rappellent de lui que de vous.

Vendredi 29 mai

9 h 45

— Pour les Transports, ne vous inquiétez pas, j'ai réglé ça directement avec le directeur qui a accepté nos arbitrages. Le projet de télécabines est abandonné mais j'ai dû débloquer des fonds pour l'aménagement de quelques stations de RER. Au final, tout va bien, rassure Paul. On ne perd que 500 millions d'euros.

Un demi-milliard d'euros. Effectivement, tout va très bien.

— Le ministre n'est pas encore au courant, mais le temps qu'il déchiffre les arbitrages, ils auront été validés. Il pourra toujours se rouler par terre, cela ne changera rien, conclut Paul.

— Il va falloir qu'on se fasse poser une question à l'Assemblée afin de régler définitivement le problème.

— Par qui ?

— J'ai trouvé un député. Donc on prépare la réponse et comme il n'a pas le temps de le faire, on lui rédige également la question.

— Vous faites les questions *et* les réponses, s'étonne Coconne qui semble surgie de nulle part, sa précieuse tasse de cappuccino serrée contre un dossier alibi.

— Les questions et les réponses sont écrites par la même personne, mais jouées par deux personnes différentes, rétorque Paul. C'est ça la démocratie, chez nous. Maintenant, donnez-moi ce dossier et allez voir dans votre bureau si j'y suis.

11 h 10

Lorsque je rejoins Coralie dans mon bureau, elle semble hautement perturbée.

– Le coup des questions-réponses, vous faites ça souvent ?

– Bien sûr. À chaque fois que l'on a besoin d'aborder un point, on trouve un parlementaire et on lui fait poser une question.

– C'est pas un peu illégal, ça ?

– Non. Juste un peu hypocrite, je vous le concède.

– Admettons, répond-elle en croisant les bras d'un air renfrogné.

– Quelque chose ne va pas, Coralie ?

– Vous imaginez qu'on passe plus de temps au travail que chez nous ?

Elle réalise ça d'un coup ?

Juin

Supremacy

« J'adore parler de rien, c'est le seul domaine où j'ai de vagues connaissances. »

Oscar Wilde

Vendredi 5 juin

10 h 30

Regroupés dans le bureau d'Alix, nous arborons nos têtes d'enterrement pendant qu'elle court de dossiers, non lus, en parapheurs, non signés, au comble de l'excitation.

– Haut Conseil à la Rationalisation Solidaire pour une Dépense plus Juste, commence-t-elle, des paillettes dans les yeux. Notre ministre a vraiment du talent pour trouver des noms que l'on retient, continue-t-elle pendant que Paul étouffe un ricanement en repensant à la genèse de ce nom si merveilleux trouvé par Herr Kaiser et lui dans un taxi. Le prochain colloque, à Marseille, est une formidable occasion de travailler tous ensemble, reprend Alix en grimaçant une tentative de sourire avenant.

Sachant qu'elle n'hésiterait pas à nous étrangler et à danser sur nos dépouilles avec des santiags cloutées si l'occasion se présentait, elle doit vraiment avoir besoin de nous.

— Nous devons présenter un front uni. C'est lors de ce colloque auquel assisteront des spécialistes internationaux des finances publiques que sera présenté le Haut Conseil.

Sous le regard bienveillant du Marquis qui frétille à la perspective d'aller se montrer à une assemblée de malheureux qui n'auront d'autre choix que d'écouter son boss déblatérer des âneries, notre chef de cabinet commence à dévider l'effroyable liste des participants. Elle parcourt ensuite l'assemblée du regard pour décider qui aura l'immense privilège d'accompagner le Don et sa cour à Marseille.

La brochette de cadres pique du nez, moi la première.

Parce qu'accompagner le Don dans un colloque fréquenté par tout le gratin administratif encore convaincu que le titre de membre du gouvernement n'est réservé qu'à une élite… comment vous dire ?…

Un régal. Un enchantement. Un nirvana intellectuel.

13 h 45

— Je crains que nous ne puissions reculer, il va vraiment falloir recruter des membres de son Haut Conseil bidon, soupire Paul en tapotant pensivement la pile de CV ornés de Post-it par Alix qui, sans vouloir nous influencer, a pris le parti de pointer les meilleurs éléments, soit tous ses potes au QI inférieur à leur pointure. Au fait, Zoé, vous allez avec lui à Marseille.

— Pitié, non…

— Sa dernière sortie nous vaut de recruter de pseudo-experts siégeant à un comité bidon dont le futur rapport nous apprendra ce que l'on sait déjà. Donc non seulement vous y allez, mais vous ne le lâchez pas d'une semelle.

— Vous allez vraiment créer son machin ?

— Je ne vois pas comment faire autrement.

— D'après ma grande expérience de la mairie, il n'y a pas de projet possible sans l'attirail complet de comités tire-nouille. Avant de payer des gens pour son conseil, on met en place un comité de pilotage, des groupes de travail, on nomme les pires blaireaux chefs de projet et le temps que tout ce beau monde ait fait le beau devant qui de droit, il aura dégagé.

— Surtout qu'il y a déjà un Conseil Stratégique de la dépense publique donc ça n'est peut-être pas urgent de recruter une nouvelle armée d'experts, reconnaît Paul. Je vais voir avec Vivianne comment enrober notre décision.

— Très bien. Vous me rappelez pourquoi c'est à moi d'accompagner Pierre pour finaliser le discours du Don ?

— Parce que le type des langages a claqué la porte et que la perspective de revoir ce discours me colle de la spasmophilie.

Mercredi 10 juin

11 h 45

— Ça ne va pas du tout, s'agace le Don. Votre discours est plat ! Il faut du souffle, du rythme, de la passion !

Je me tourne vers le Marquis et, le voyant contempler ses chaussures, je décide d'intervenir :

— Permettez-moi de vous rappeler qu'il s'agit du discours d'inauguration d'un colloque sur les finances publiques, pas d'un discours électoral.

— Et moi, je vous rappelle que j'annonce la mise en place officielle du Comité de Pilotage de mon Haut

Conseil à la Rationalisation Solidaire pour une Dépense plus Juste qui, sans moi, n'existerait pas !

Quelle perte tragique pour la Nation.

– Par ailleurs, continue le Don, les présidentielles vont arriver très vite. Je dois apparaître compétent mais aussi sympathique.

Mission impossible.

– N'hésitez pas à inclure des passages humoristiques. Je veux avoir l'air spirituel et drôle.

Présenter un comité bidon comme remède à la crise n'est en soi pas dénué d'humour.

– Vous êtes secrétaire d'État au Budget, on n'attend pas que vous souleviez l'hilarité des foules.

– Je suis secrétaire d'État au Budget pour le moment, précise le Don. Mais demain, qui sait ? Tout votre passage incompréhensible sur le déficit, vous me le sacquez. Vous avez déjà entendu François Mitterrand dire dans un discours : « L'Exécutif européen table sur une croissance en France moins optimiste que celle anticipée par le gouvernement français » ? Non ? Eh bien, il y a une raison à ça ! On ne sent pas la flamme !

– Il s'agit d'un colloque de finances publiques.

– Écoutez, ma cocotte, la politique, c'est un métier d'homme. Et c'est le mien. Alors, ne vous en mêlez pas.

J'ai deux enfants et un boulot qui me permet de les loger, les nourrir et leur acheter tout un tas de babioles pour me faire pardonner de ne pas les voir souvent. Il serait ballot de tout foutre en l'air en faisant remarquer à ce connard que s'il s'avise encore une fois à m'appeler « ma cocotte », je lui fais bouffer ses parapheurs.

– Ces éléments de langage, ça ne va parler à personne. Je dois me démarquer du reste du troupeau gouvernemental.

Sérieusement, qu'est-ce qu'on va en faire de ce type ?

Jeudi 11 juin

15 h 25

Je m'accorde une micro-pause toilettes-Candy Crush lorsque la voix de Coralie me fait sursauter.

– Zoé, c'est bien vous ?

Je rêve.

– Non.

– Mais si, je reconnais votre voix. Ça tombe drôlement bien, j'ai quelque chose à vous demander

– Vous sortez d'ici et m'attendez dehors !

– Ça va durer longtemps ? s'enquiert-elle.

– Dix-huit coups sauf si Odus tombe, ça vous va comme réponse ?

– Vous êtes à quel niveau ? Vous avez souvent trois étoiles ? Vous pourriez me passer le 240 ?

Ce débile de hibou s'éclate de son perchoir et je sors.

– Comme je vais sûrement passer attachée territoriale à l'ancienneté, j'aimerais avoir un dictaphone comme le ministre.

– Il a un dictaphone ?

– Oui, pour y noter ses idées, développe-t-elle, annihilant la certitude que l'un des grands problèmes de ce type est justement de ne pas en avoir. Donc moi aussi, je voudrais avoir un dictaphone pour ne pas oublier ce que je pense. Parce que, quand même, attachée, c'est pas rien.

– Coralie, le jour où une aide-soignante deviendra neurochirurgien par ancienneté, je vous promets d'aller moi-même acheter votre dictaphone de fonction.

Lundi 15 juin

7 h 30

— J'ai faim, je vais mourir de faim ! m'informe Arthur pendant que sa sœur commence à sauter sur le lit.

— Je n'ai pas le temps de t'emmener aux urgences si tu te casses le cou, donc stop. Le premier à la cuisine a gagné.

Pendant qu'ils s'élancent dans le couloir en se poussant contre les murs, je m'extirpe du lit, les rejoins, prépare le petit déjeuner rapidement – non, on n'a plus de Chocapic, il faut finir les Frosties. Si vous n'aimez que ceux au chocolat, il faudra arrêter de me faire acheter les autres uniquement parce que vous trouvez que le tigre a l'air sympa – et je fonce sous la douche.

MON bain moussant « Mademoiselle Coco », que je trouvais décidemment de plus en plus pâlot au fil des jours, a été dilué à grand renfort d'eau par les enfants pour faire des cocktails, comme m'en informe Arthur avant de me demander si c'est normal que les céréales soient un peu molles. Je finis de me doucher au P'tit Dop Pêche-Abricot et m'adonne au rituel matinal habituel qui pourrait me valoir d'être très prochainement recrutée comme sergent-chef à la Légion étrangère.

À peine quarante petites minutes plus tard, nous sommes tous les trois sur le palier, habillés et sérieusement à la bourre.

— C'est la dernière fois que vous traînez autant le matin.

— Tu dis ça tous les matins, me fait observer Arthur avant de remarquer qu'il est toujours en chaussons.

Je rouvre la porte, balance dans le couloir une paire de chaussures susceptibles de lui appartenir, crie à sa sœur d'appeler l'ascenseur et y pousse progéniture, cartables, sacs de sport et chaussures, sous l'air effaré de notre voisine.

– Bonjour. Enfile tes chaussures maintenant !

– C'est difficile, le matin, compatit la voisine.

– C'est pas beaucoup plus glorieux en soirée. J'y crois pas, tu t'es trompé de pied. Mais avance, sors de cet ascenseur ! Bonne journée, madame.

– Pourquoi tu cries toujours le matin ? demande Emma pendant qu'accroupie sur le trottoir, j'enfile ses sandales à son frère.

Si je ne redresse pas la barre fissa, je vais en faire deux serial killers qui bénéficieront systématiquement de l'indulgence du jury pour cause d'enfance traumatisante.

– Mais je ne crie pas. Enfin, si, mais c'est fini. Je suis désolée. Allez, ça va être bien aujourd'hui, à l'école, vous allez vous amuser et apprendre plein de choses géniales !

Interloqués devant ce qu'ils appelleraient la schizophrénie maternelle s'ils apprenaient effectivement plein de choses géniales à l'école, Arthur et Emma pilent sur le trottoir.

– Mais enfin ! Avancez !

Rassérénés de voir leur mère revenir à une certaine normalité, ils se remettent à trottiner en se bousculant et en sautant dans chaque flaque d'eau que nous croisons.

Lorsque nous arrivons devant l'école, ils sont maculés d'eau boueuse et la porte est fermée.

– On est en retard ? s'inquiète Emma.

– On ne transpire pas d'avance, mais non, il est huit heures vingt-neuf.

Je sonne et la directrice nous ouvre d'un air peu avenant.

– C'est la dernière fois, prévient-elle d'un ton pincé. Lui demander ce qu'elle entend par « c'est la dernière fois » mettrait mes enfants au ban de l'école, voire de la société, donc je baisse la tête d'un air contrit et les pousse à l'intérieur pendant que mon portable vibre tout ce qu'il peut.

Je suis sauvée par l'arrivée de Marielle qui sort de la classe des enfants où elle vient d'opérer son point biquotidien avec l'institutrice à qui je rêve de demander combien de temps elle va tenir avant de lui claquer le beignet.

Le jour de l'accouchement, les femmes deviennent mères, mais Marielle a été gratifiée d'une compétence supplémentaire : enseignante. Elle dispense donc son talent pédagogique deux fois par jour à la maîtresse qu'elle abreuve diplomatiquement de compliments tout en expliquant pourquoi, elle, elle ferait différemment.

Donc mieux.

– Je n'en peux plus, m'informe-t-elle en m'attrapant par le bras et en m'entraînant dehors. Vivement que cette année se termine, je suis à bout !

9 h 30

Après avoir écouté Marielle expliquer pourquoi l'incompétence de la maîtresse bridait le génie de son fils, j'entre dans le hall de Bercy et me cogne dans le Don :

– Vous êtes l'assistante de Paul, je ne me trompe pas ?

Quoi que je fasse, il ne comprendra jamais que les femmes peuvent être autre chose que mère au foyer ou secrétaire. Je hoche donc la tête et appuie frénétiquement sur le bouton de l'ascenseur.

– Je viens de parler avec votre collègue.

– Vous avez bien fait, Armand est très brillant. Nous avons beaucoup de chance de l'avoir dans l'équipe.

– Non, je parlais de Coralie Montaigne, m'informe-t-il tandis que cette simple phrase me fait rentrer le cou dans les épaules d'appréhension. Elle a eu une brillante idée.

J'avais raison de m'attendre au pire. Moins par moins ne fait plus qu'en maths. Dans la vraie vie, et comme un Don surexcité me l'expose, la combinaison de ces deux vides cérébraux vient d'imaginer qu'il serait grandiose d'organiser un show à l'américaine pour le fameux colloque de Marseille.

– Avec de la musique, des écrans géants, des spots partout, s'emballe le secrétaire d'État.

– Pour prôner la rigueur ? Mais quelle bonne idée !

Le concept d'ironie lui étant de toute évidence étranger, il acquiesce avec enthousiasme et continue :

– On y passe la nuit. J'espère qu'il y aura un spa. Et un buffet. Avec, vous savez, ces petites crêpes qui ressemblent à des blinis et qu'ils servent avec une sauce couleur caramel.

– Des pancakes au sirop d'érable.

– Voilà. Vous vous renseignez pour savoir s'il y en a et vous revenez vers moi. Finalement, avoir des bonnes femmes dans l'équipe est peut-être une bonne chose, vous ne croyez pas ?

Mercredi 17 juin

11 h 30

– Si je vous ai réunis aujourd'hui, c'est parce que le ministre est à bout. Votre discours ne tient pas la route, il faut le reprendre de A à Z, décrète le Marquis. Clairement, vous avez besoin d'être encadrés pour ce faire et c'est là que j'interviens.

Notre dir' cab conseiller technique chérit d'autant plus le travail d'équipe qu'il lui permet de ne rien faire et, en cas de problème, de se dédouaner facilement de toute responsabilité en accusant quelqu'un d'autre. À le voir se frotter les mains avec satisfaction, il se délecte de ce moment de grâce qui lui permet de nous broyer en toute légalité. Son côté eunuque l'incite à préciser qu'il a été très sollicité par son ministre. Sous-entendu, si ses remarques ne nous plaisent pas, ce n'est pas sa faute, il n'est que la malheureuse courroie de transmission d'un système qui le dépasse !

– J'ai énormément d'idées pour que ce discours passe de médiocre à excellent, ajoute-t-il avec sa simplicité habituelle.

Inutile de lui demander d'en citer ne serait-ce qu'une.

Pour le moment, il garde ses propositions au chaud, mais lorsqu'il les dégainera, attention les yeux ! Un feu d'artifice ! L'apothéose !

Enfin. La synthèse de notre travail signée de sa blanche main.

– Mais je ne veux pas vous influencer, conclut-il.

Pendant que nous nous répartissons la liste des corvées, le Marquis égrène son agenda. Même si nous nous en soucions comme d'une cerise, il tient toujours à préciser de quelle réunion il sort et à laquelle il se rend, afin que nous prenions pleinement conscience de la densité de son emploi du temps.

Vendredi 19 juin

9 h 45

La préparation de l'opération « Enfumage sur la Canebière » bat son plein lorsque Alix pique sa crise :
– C'est un complot ! se met-elle à hurler dans le couloir.
Nous risquons une tête hors de nos bureaux pour la trouver, au plus mal, en train de se tordre les mains de désespoir à côté d'un Paul très abattu.
– Protocolairement, un secrétaire d'État passe après un ministre, ça fait quinze fois que je vous le répète.
– Mais c'est un colloque d'installation du Haut Conseil à la Rationalisation Solidaire pour une Dépense plus Juste, organisme qu'il a créé !
– Non, c'est un colloque de finances publiques lambda et il a fallu qu'on supplie les organisateurs pour qu'ils acceptent de lui laisser cinq minutes pour présenter son... truc, réexplique mon directeur.

15 h 25

Le Marquis, Paul et moi relisons le discours du Don lorsque Coralie débarque et s'installe à nos côtés :
– J'ai eu la personne qui s'occupe de l'organisation des discours et MonMaire passera donc juste après le ministre de l'Intérieur.
– Vous êtes en train de nous dire que vous avez réussi à le faire passer juste après le numéro deux du gouvernement ?

— Exactement, répond Coconne en se rengorgeant.

— En un coup de fil, vous débloquez une situation sur laquelle Vivianne, une spécialiste reconnue de la communication, se casse les dents depuis des semaines ?

Notre assistante hausse les épaules avant de rétorquer :

— Vous me sous-estimez tout le temps !

— Je le reconnaîtrai lorsque vous m'aurez dit exactement ce que vous avez dit.

— Depuis le début ?

— Voilà. Donc vous décrochez le téléphone et...

— Je tombe sur un type qui ignorait tout du colloque. Ça m'a vachement étonnée. Puis j'ai réalisé que je m'étais trompée de numéro. J'ai fait un 8 à la place du 3, avoue-t-elle.

— La suite, nom de nom ! La suite ! la presse Paul.

— Donc je raccroche puis je refais le numéro et je demande à parler à l'organisatrice. Je lui dis : ce serait bien que Monsieur le Ministre parle en seconde position parce que c'était MonMaire et qu'il était gentil. Enfin, pas gentil-gentil, mais quand il m'avait serré la main aux vœux, il m'avait souri et j'avais trouvé ça chouette parce qu'avec toutes ses responsabilités, vous voyez... Au final, il n'est pas si sympa que ça, mais bon, moi la politique, j'y comprends rien.

— Sans blague ! Bon, continuez.

— Donc elle me dit que les discours sont déjà calés et qu'elle peut pas modifier ce qui est convenu depuis des mois.

— Alors ?

— Ben j'ai dit qu'il était en fin de vie et que ce serait humain de lui permettre de parler au début.

— Vous avez dit que le ministre était en fin de vie ? s'étrangle notre directeur. Mais enfin ! Vous avez fondu un plomb ou quoi ?

— Ça, c'est la meilleure, s'insurge Coconne. Au moins, il passe en seconde position et pas à la fin ! Vous devriez me remercier !

— Vous avez menti ! C'est très grave !

— J'ai pas menti, se défend Coconne. Si on regarde les sta... machins, je suis désolée mais MonMaire est plus vers la fin de sa vie que vers le début. La prochaine fois, je vous laisserai vous débrouiller tout seuls. Vous n'êtes rien que des gras !

— Des ingrats ?

— Voilà, vous êtes ça aussi, conclut-elle en sortant et en claquant la porte.

Mercredi 24 juin

6 h 45

Alix sort des toilettes du TGV où elle vient de passer vingt minutes à se maquiller pour « bien passer à l'écran » et « tenter de masquer son épuisement ».

On dirait un Picasso.

— J'ai bien réfléchi, déclare-t-elle en admirant son reflet dans la vitre. Ce colloque vise à mettre en avant un panel élargi de compétences. Il ne faudrait pas que Monsieur le Ministre les écrase de son charisme, de son intelligence et de son brio.

— Le risque me paraît limité, soupire Herr Kaiser.

— Il faut soigner la communication. Je sais que c'est votre boulot, mais je pense avoir un peu plus d'expérience que vous de la communication politique. Les

Français veulent des politiques proches d'eux. Je verrais bien une séquence bain de foule dans le train.

Tempête sous le crâne de notre directrice de la Communication, déchirée entre l'envie de faire remarquer à Alix qu'un bain de foule à sept heures du mat' ne s'impose pas nécessairement et la perspective de se débarrasser d'elle pour un bon quart d'heure.

– Bonne idée, finit-elle par lâcher dans un souffle, avant de m'indiquer d'un claquement de doigts impérieux de suivre le joyeux cortège.

Notre secrétaire d'État abandonne à regret *L'Équipe*, glisse sa Rolex dans la poche de son Burberry – « il faut savoir se fondre dans la masse, mais c'est quelque chose que vous ne pouvez pas comprendre, vous les technocrates » – et se dirige vers le wagon-bar, traînant ses fidèles dans son sillage.

La foule dans laquelle le Don est censé se baigner se compose de deux personnes, mais il en faut plus pour ébranler Alix dans ses certitudes. Elle dégaîne son iPhone, et se dirige vers le premier voyageur qui, après lui avoir lancé un regard noir, quitte le wagon à grandes enjambées, portable vissé à l'oreille.

– Je vais vous prendre deux robusta et une tranche de cake, s'il vous plaît, décrète le second.

– Mais enfin, s'insurge le Don, vous ne savez pas qui je suis ?

– Le barista ?

– On coupe ! ordonne Alix. Où sont les journalistes ? Il faudrait leur accorder un off, c'est le moment.

Hélas, de presse présente dans le wagon-bar, il n'y a qu'un porte-serviette, Bébert, présentement occupé à engloutir le croque-monsieur SNCF qu'il a commandé en guise de petit déjeuner et qui nous livre la pensée philosophique du jour :

– Je me dépêche parce que froid, c'est pas bon.

– Où sont les autres journalistes ?

– Dans l'autre rame, marmonne Bébert entre deux postillons.

– Je suis entourée d'incompétents ! se met à brailler Alix.

– C'est ce que je me tue à dire toute la journée, renchérit le Don.

9 h 20

– Le train ne va pas tarder à arriver, vite ! s'exclame Alix en battant le rappel.

Il n'en faut pas plus pour mettre en branle l'état-major qui se précipite dans le couloir, en transe.

Il serait vain de leur faire remarquer que Marseille est le terminus du train, ils piétinent déjà anxieusement, collés contre les portes.

Lorsque le TGV arrive quelque vingt-cinq minutes plus tard, notre chef de cabinet appuie frénétiquement sur le bouton et fait une crise de nerfs sous l'œil incrédule du contrôleur parce que la porte ne s'ouvre pas instantanément. Les sbires du Don descendent et s'entassent devant la porte sans qu'aucun n'ait l'idée de s'éloigner pour laisser sortir les autres voyageurs.

– Où est le responsable presse ? demande Herr Kaiser avant d'aviser Bébert qui briefe le Marquis sur son nouveau reflex numérique de fonction doté d'un objectif 50 mm macro et, plus étonnant, d'un kit sous-marin particulièrement adapté à la prochaine séance photo de notre maire pendant le colloque.

– Je suis là, réplique Bébert.

171

— Le vrai responsable presse, celui qui rédige des articles pour de vrais journaux, clarifie Herr Kaiser avant d'apercevoir l'équipe de journalistes et de s'élancer vers eux.

Alors qu'il ne quitte pas le Don d'une semelle et se trimbale en permanence avec un carnet et un crayon, Bébert, journaliste de choc, ne sort jamais aucun article. À ceux qui lui en font la remarque, il explique mollement qu'il « est en pleine phase de recherche pour ce qu'il prépare ».

Quoi ? Difficile à dire, mais de là à s'imaginer que le Don, dans un élan de mégalomanie, lui ait commandé une biographie officielle, il n'y a qu'un pas que nous avons, évidemment, vite franchi.

10 h 10

Nous arrivons au Palais des Congrès pour trouver Alix en train d'expliquer au vigile qu'un homme au destin national tel que le Don n'a pas à se soumettre à une procédure aussi vulgaire qu'un contrôle de sécurité.

Celui-ci est occupé à faire les cent pas à l'écart, inquiet à l'idée d'arriver à l'heure.

Car un homme de sa stature n'arrive pas à l'heure. Jamais. Lui ne pratique pas le quart d'heure de politesse mais la demi-heure de rustrerie.

Nous entrons dans l'auditorium et, pendant qu'un parterre de participants indifférents à la présence de l'Homme Providentiel discutent entre eux, nous commençons à vérifier les réglages.

— C'est tout de même incroyable qu'ils ne se lèvent pas à l'arrivée de leur ministre, s'étonne Alix avant de s'incruster à l'immense table.

Alors qu'elle n'a même pas identifié où était le micro, notre chef de cabinet est catégorique : cette salle est mal sonorisée.

Un ingénieur du son arrive, ouvre le micro et repart en soupirant.

Fasciné par son image sur grand écran, le Don semble avoir oublié la raison de sa présence. Il s'essaie à un audacieux trois quarts en tendant le cou, dans une vaine tentative de dissimuler son festival de mentons.

Il s'adresse un sourire satisfait, avant de se remettre de face et de mobiliser toute sa concentration sur son ventre qu'il essaie de rentrer le plus possible.

Je contemple, effarée, l'aller-retour convulsif de la boucle de ceinture contre la table pendant que l'organisateur s'enquiert à mi-voix :

– Il y a un problème ?

S'il n'y en avait qu'un...

11 h 35

Le ministre de l'Intérieur sort sous les applaudissements nourris de la salle après un discours brillant.

– Il pourrait être Premier ministre, celui-là, décrète Herr Kaiser. Il est vraiment bon, démagogue et suffisamment intelligent pour avancer ses pions correctement. Ah, il arrive.

Le Don s'installe au pupitre, se gratte la gorge et commence à lire le discours que nous lui avons préparé en prenant un air de circonstance, avant de s'interrompre brusquement.

– Pourquoi il s'arrête ? peste Herr Kaiser.

Sursaut de réalisme. Il a compris qu'il n'avait rien d'intelligent à apporter au débat. Peut-être va-t-il démissionner ?

— S'il décide d'improviser, on va encore passer pour des cons, rajoute-t-elle alors que le Don commence à joyeusement enfoncer des portes ouvertes.

— Être un homme politique est un don de soi, informe-t-il l'assemblée, avec la gravité de celui qui a mis dans l'intérêt général toutes ses économies, son PEL et ses Sicav.

— Pitié, soupire Herr Kaiser alors que le Don explique à l'assemblée qu'évidemment le Haut Conseil à la Rationalisation pour une Dépense plus Juste va sauver l'économie à lui seul.

À chaque fois que ce type parle sans notes, j'imagine la déception dans les yeux de Darwin.

12 h 45

Lorsque le Don revient de la tournée des stands, il ressemble à un spectateur du Tour de France après une collecte fructueuse auprès de la caravane.

Alix le couve du regard avec l'air satisfait du boa en pleine digestion.

— Votre discours était formidable, Monsieur le Ministre.

— Mais enfin, pourquoi a-t-il récupéré autant d'objets promotionnels ? s'étonne Herr Kaiser.

Parce que sous le costume trois pièces, le beauf.

— Vous saviez que le ministre de l'Intérieur était venu en avion ? nous demande-t-il en faisant rouler une clé USB entre ses doigts.

– Non, mais comme il est reparti, je pense qu'il avait un impératif.

– Comment voulez-vous que les Français fassent confiance à des politiques complètement déconnectés de la réalité ? s'exclame le Don en haussant la voix, cherchant les journalistes des yeux avant de nous faire remarquer qu'il est presque treize heures et qu'il fait faim.

Parler de la crise, ça creuse.

Affalé au bar depuis la fin du discours de son boss, Bébert enfile de quoi faire sauter son permis, pendant qu'Alix distribue des cartes de visite comme autant de preuves de son importance.

Le Don s'installe entre deux journalistes soigneusement briefés par Herr Kaiser pour ne prendre aucune note et ne sortir aucun papier sur notre secrétaire d'État.

Après avoir expliqué au serveur de quelle manière il tenait à ce que le chef lui prépare sa sole meunière, mentionnant au passage qu'il n'hésiterait pas une seconde à la renvoyer en cuisine avec perte et fracas si elle n'était pas conforme à ses attentes, le Don enfourne une cuillérée de céleri rémoulade et enchaîne :

– Donc vous me demandiez le mot de la langue français qui me définit le mieux. Je vais opter pour tolérance. Ou ouverture d'esprit.

Avachi sur la table, notre édile broute sa pitance, la bouche au ras de son assiette de crudités.

– Oui. C'est moi, dit Herr Kaiser qui vient de décrocher son portable. Coralie, je ne vous entends pas. Qu'est-ce que vous voulez organiser ? Je n'entends rien, peste Herr Kaiser en secouant son portable dans une vaine tentative de convoquer le dieu Wi-Fi. Le 26 juin ? Vous savez quoi ? Je vous fais confiance, déclare-t-elle en raccrochant. J'ai peut-être fait une connerie, marmonne-t-elle en vidant son verre de vin d'un trait.

Naaaan !

— Le 26 ?

— Oui, me répond-elle d'un ton las. Zoé, je peux savoir ce que vous faites ?

— J'avais posé une RTT que je supprime. Vous laissez Coralie organiser Dieu sait quoi à sa guise. Il est hors de question que je loupe ça.

— Honnêtement, je ne vois pas ce qui pourrait arriver de si dramatique.

14 h 45

Selon mon expérience, le plus difficile dans ce genre de séminaire n'est pas de préparer son intervention, de jongler avec les chiffres ou de réussir à traduire en mots simples des concepts compliqués. C'est de supporter la connerie ambiante.

— En tant que sociopsychologue, je dois d'abord vous préciser que je reste convaincue qu'il n'y a pas d'individus sans environnement, ni d'environnement sans individus, explique une manager du futur solidement installée à la tribune.

Au premier rang, le Marquis prend des notes compulsivement sur son ordinateur portable pendant que le Don joue avec les clés USB qu'il a récupérées ce matin.

— Le grand problème aujourd'hui est qu'un grand nombre de dirigeants tendent à confondre ambition intégrative et ambition participative. Je m'insurge vivement contre ce mélange des genres, s'enflamme-t-elle.

Voilà une bien belle cause à défendre !

– Je pense qu'il faudrait repenser les additionnalités soustractives, énonce-t-elle doctement.

Mon voisin me lance un regard mi-atterré, mi-horrifié.

– C'est quoi ce bordel ? articule-t-il silencieusement.

Au cours de ma bonne dizaine d'années d'expérience dans l'administration, j'en ai entendu de bien pires, alors je ne suis plus à une « additionnalité soustractive » près.

– Rien de bien important, sans doute.

– C'est dramatique ce truc !

« Un débat d'une très grande qualité », titra la presse du lendemain.

Vendredi 26 juin

9 h 05

Nous débarquons dans une salle de réunion métamorphosée en salle des fêtes avec cotillons, pyramide de verres en plastique et amuse-gueules en pagaille.

– Qu'est-ce que c'est que ce bazar ? tempête Paul en poussant une banderole.

– Ah, j'avais peur que vous ne veniez pas, nous accueille Coconne qui, juchée sur un escabeau, ajuste une boule à facettes.

– J'aurais dû me douter que c'était vous ! Zoé, votre débile de secrétaire a transformé la salle de réunion en boîte de nuit ! s'égosille Paul dont la couleur carmin n'augure rien de bon.

– J'ai l'autorisation de Vivianne, s'insurge Coconne en descendant de son perchoir et en ouvrant un paquet de chips d'un coup sec : le contenu du sachet se répand par terre.

– Je confirme.

– Comment ça, vous confirmez ? Zoé, mais enfin ! Jamais Vivianne n'aurait autorisé votre assistante à… à faire quoi, exactement ?

– J'aurais préféré attendre six mois pour fêter ça, mais tout le monde part en vacances, explique Coconne en replaçant soigneusement les chips tombées par terre dans une assiette.

– Fêter quoi, précisément ?

– Ben, mon arrivée au ministère.

– Votre arrivée au ministère devrait être classée catastrophe nationale au même titre que l'arrivée de votre maire et de sa clique de dégénérés, rectifie Paul avant de tourner les talons, non sans nous informer : J'ai besoin de casser quelque chose. Si on me demande, je suis au golf.

Samedi 27 juin

15 h 30

– Maman, on y va bientôt ?

– Dans un quart d'heure.

– Ça fait combien en minutes, un quart d'heure ?

– Quinze.

– Et qu'est-ce que tu fais dans la salle de bains ?

– Retourne voir *Les Aristochats*, je finis de me préparer.

Pour me préparer, je me prépare. Après avoir passé vingt minutes à sortir de leur emballage des madeleines achetées au supermarché du coin, je les ai naturellement mises au four en mode « réchauffage ». Autrement, comment tendre mon offrande à la fête de l'école et indiquer sans rougir qu'« elles sortent juste du four » ? Au moment de partir, j'ai réalisé que ledit four ne fonctionnait plus.

Depuis quand ?

Difficile à dire tant cet instrument m'est étranger. Je me suis donc retranchée dans la salle de bains où, accroupie près du lavabo, je ventile mes madeleines maison de contrebande au sèche-cheveux, non sans avoir collé mes enfants – des délateurs en puissance comme tous ceux de leur catégorie – devant la télé.

Ou comment décrocher en moins d'une demi-heure tous les modules indispensables à l'obtention du diplôme de mère indigne.

Tout a commencé par un appel surexcité de Marielle un mois et demi auparavant.

– Tu viens à la réunion de préparation de la kermesse, jeudi soir ?

Pour me retrouver responsable du stand pâtisserie-fruits rouges et m'infuser la présence d'enfants qui ne sont même pas les miens, accompagnés de leurs parents par-dessus le marché ?

Jamais.

Après avoir dévidé un chapelet d'excuses minables dont il ressort clairement que, malgré mon enthousiasme à la perspective de concourir à cet événement exceptionnel, mon emploi du temps ne m'en laisserait jamais le loisir, j'entends Marielle soupirer :

– La dernière kermesse des enfants avant leur entrée en primaire, quel dommage... Enfin... J'imagine combien ce doit être difficile pour toi de sacrifier l'éducation de tes enfants à cause de ton travail...

Une fois ma culpabilité au taquet, elle enchaîne perfidement :

– Ne t'inquiète pas, je t'enverrai le lien du site de l'école pour que tu aies accès au tableur Excel sucré/salé.

Rien n'est plus anxiogène que de voir, visite après visite sur ce maudit site, ce tableau se remplir de « mille-feuilles individuels aux cranberries (80) », « meringues à la fleur d'oranger (200) » et autres « cakes format familial abricot-pistaches-éclats de noix de macadamia grillées (5 ? 8 ?) ».

Évidemment, la Charte de la Kermesse – rédigée par Marielle et ses *alter ego* de perfection maternelle – ne laisse place à aucun doute : ce moment de convivialité parents-enfants s'inscrivant dans le grand programme de nutrition mené par l'école depuis le début de l'année, les produits industriels seront proscrits.

Et comme je préfère mourir plutôt que d'y inscrire « gâteau au yaourt (1) », je n'ai pas le choix.

16 h 15

Pendant que Marielle couve son fils des yeux en espérant qu'il s'impose à la course en sac, nous nous acheminons vers le stand des gâteaux. Des saint-honoré individuels côtoient des verrines de crèmes colorées surmontées de mini-macarons parfaitement calibrés.

Je sais pourquoi je ne lâcherai jamais mon job. Je n'ai tout simplement pas le niveau pour devenir mère au foyer.

Entre deux exclamations admiratives, je demande aux enfants de choisir leur goûter.

– Des madeleines !

– Tu plaisantes ?!

– Ben non, pourquoi ? s'étonne Arthur.

– Mais enfin ! Je peux faire des madeleines tous les jours, mais jamais je ne saurai vous cuisiner un « suprême de chocolat-praliné » ou un « duo de mousse chocolat noir-chocolat blanc avec ses éclats de pistache »... et regardez-moi ces petites tartelettes, c'est trop beau !

– Je préfère une madeleine !

– Deux madeleines, ça fera 3 euros, sourit une mère d'élève arborant un badge « Je suis la maman de Fanny ». Il faudra que vous me donniez votre recette, elles sont bien dorées et bien gonflées.

– J'ai un excellent four.

Après une file d'attente digne d'EuroDisney, nous arrivons au très couru stand de la pêche aux canards. Marielle semble avoir perdu tout sens commun et hurle à Enguerrand de se dépêcher d'attraper ce putain de caneton en plastoc.

Arthur attrape une canne à pêche et s'approche des bassines avant de stopper net, de se retourner et de me demander anxieusement si, moi aussi, je vais me fâcher s'il perd.

– Je prendrai sur moi, mais je saurai me montrer forte et me tenir en public.

– C'est une blague, là ?

– Ben, évidemment ! Pourquoi voudrais-tu que je me fâche pour une pêche aux can...

– Enguerrand, maintenant, ça suffit, tu t'appliques. Souviens-toi des exercices de concentration du soir et utilise-les ! Tu dois réussir, s'époumone Marielle.

– Pourquoi on n'a pas d'exercices de concentration, nous aussi ? me demande Emma en pêchant deux canards d'un coup.

– Parce que je préfère jouer au ping-pong avec vous sur la table de la cuisine.

– Ils se sont entraînés avant ? demande Marielle d'un ton soupçonneux.

Évidemment, je n'ai que ça à faire, quand je rentre le soir.

Lundi 29 juin

10 h 10

Chaque année à la même époque, ça ne loupe pas. Paul et Amstrad s'adonnent, pour notre plus grand plaisir, à l'inévitable combat autour du taux de croissance sur lequel bâtir le budget.

Et chaque année, pendant que l'intégralité du service parie discrètement sur le vainqueur, les deux guerriers s'affrontent :

– On ne peut décemment pas faire ça !

– Non seulement on peut, mais on va.

– Mais c'est impossible ! Vous ne réalisez pas !

Habitué à l'indignation annuelle d'Amstrad, Paul soupire et se cale dans son fauteuil.

– Mais je réalise très bien. Je réalisais l'an dernier et je réaliserai l'an prochain.

– À ce niveau, ce n'est plus de l'optimisme béat mais un mensonge d'État, attaque notre chef de bureau, révulsé par le taux retenu.

– C'est un coup de pouce patriotique, tempère Paul.

Chaque année, nous présentons des comptes dits « techniques », fondés sur les prévisions de croissance des instituts de conjoncture. Transmis au Cabinet, ils nous reviennent « normés », soit assis sur un taux de croissance qualifié de « volontariste » par Paul ou « relevant de la pensée magique » par Amstrad.

– Nous ne pouvons pas bâtir le budget de la France sur des prévisions de croissance aussi délirantes, insiste Amstrad avant d'égrener la chronologie du déficit budgétaire avec autant d'émotion que s'il s'agissait de son propre découvert. 3 % de croissance, ça n'a aucun sens !

Paul se redresse et attrape la note d'Amstrad avant de s'étrangler :

– 3 % ? Mais ils ont les fils qui se touchent, au Cabinet ! Un peu de Photoshop budgétaire pour faire rentrer l'édredon dans la valise, ok, mais fonder tout un budget sur une croissance prévisionnelle de 3 % alors qu'atteindre 1 % serait un exploit, c'est délirant.

– Surtout que, comme tous les ans, nous avons déjà sous-évalué les dépenses…, rajoute Amstrad.

– J'ai regardé vos prévisions et elles ne sont pas crédibles, éructe le Don qui débarque brusquement en salle de réunion et claque la porte d'un geste rageur.

Se faire donner des leçons de réalisme par un type qui explique régulièrement que son idole, c'est Batman, une chauve-souris richissime qui conduit une bagnole de malade, ça vaut son pesant de cacahuètes.

J'attrape le tableau prévisionnel et commence mon argumentaire :

– Il est possible de dégonfler un déficit, d'enjoliver la réalité, de pérorer sur la différence entre déficit structurel et conjoncturel, d'accuser la crise de mille maux. Nous savons le faire et nous ne nous en sommes jamais privés malgré les remarques de la Cour des comptes. Mais la Commission européenne a déjà critiqué un programme de réduction du déficit public fondé sur un taux de croissance annuel de 2,5 %. Donc 3 %, c'est impossible.

– Ma cocotte, vous allez nous laisser. Les choses sérieuses, ça se décide entre hommes.

Paul me lance un regard compatissant avant de baisser les yeux. Je quitte le bureau du Don, non sans l'entendre clairement exposer à mon directeur :

– La parité, c'est une connerie. Les finances, comme la politique, c'est un métier d'homme, les femmes n'ont rien à y foutre. Est-ce qu'on les fait chier à vouloir faire le ménage et la cuisine, nous ?

Juillet-août

Warning Sign

« Peut-être que les grands hommes, ça vient par vagues, un siècle sur deux ? »

Quino,
Mafalda

Mardi 1er juillet

9 h 00

Le Marquis passe une tête dans mon bureau.

– J'ai finalement décidé de faire une MindMap plutôt qu'un bête PowerPoint pour la réunion de demain avec les services, m'annonce-t-il gravement avant de refermer la porte.

Entendre notre dir' cab parler de sa réunion m'enchante d'autant plus que j'ai posé un jour de congé dès qu'il en a fixé la date.

La porte se rouvre et Coconne débarque en fanfare.

– À votre avis, vaut-il mieux une machine à pain Clatronic BBA 2866 Fonctionnement automatique, pains jusqu'à 1 kilo, 12 programmes, 2 coloris au choix ou un set de douze ramequins antiadhésifs, 10 cm de diamètre, modèle Tahiti bicolore ?

– Je vous demande pardon ?

– Ou deux peignoirs assortis en velours « Jardin Secret », liserés bleu et rose ?

– Comment pouvez-vous hésiter entre une machine à pain et des peignoirs ?

– Figurez-vous que j'ai été invitée à un mariage, répond-elle en exhibant un faire-part recouvert d'un enchevêtrement de fleurs et de ballons.

– Ah...

– C'est parce que je suis très importante et que je pourrais servir.

Les plats du banquet ?

– Après tout, je suis un élément clé du ministère des Finances, le bras droit de la directrice du Budget.

– Je ne suis pas directrice du Budget.

Quant à être mon bras droit...

– Ah bon ? s'étonne Coralie. Bon, c'est pas grave, je travaille aussi pour Armand, après tout.

– Le directeur du Budget, c'est Paul.

– Mais je pensais que c'était le mari de Vivianne.

– Mais enfin, Coralie, être le mari de quelqu'un, ce n'est pas un métier !

– Ah bon. Oh, mais ça va, je peux pas tout savoir...

15 h 45

– Au fait, un député va venir vous voir pour exposer une « brillante idée », paraît-il, m'informe Paul en mimant des guillemets en l'air, geste qui devrait valoir l'éviscération par couteau à beurre rouillé, selon moi.

– J'ai du travail par-dessus la tête pour avant-hier, une assistante dont les conneries quotidiennes me plongent dans une situation inextricable, un chef de bureau qui s'enferme dans le sien, je n'ai pas le temps de recevoir qui que ce soit. Qu'est-ce qu'il veut au juste, de toute façon ?

– Nous expliquer comment équilibrer nos comptes ! Encore un excentrique convaincu d'avoir inventé le fil à couper le beurre.

– Refilez-le à quelqu'un d'autre !

– Il est prétentieux, incompétent, lèche-bottes mais a l'oreille de quelques personnes que je n'aimerais pas contrarier de front et il est de surcroît recommandé par votre ancien maire. Bref, il est central dans votre agenda. Donc vous l'enfumez, s'il demande une simulation, vous refusez et s'il insiste, dans six mois, on lui fera parvenir la note habituelle.

– Et si sa proposition est bonne ?

Paul me regarde, aussi surpris que si je venais de nommer Coconne à sa place.

– Quelle drôle d'idée !

Notre directeur est par principe braqué contre toute idée ne venant pas de lui ou de son équipe.

Dans son bureau s'entassent des documents types de refus qu'il ressort pour justifier qu'il est hors de question que sa direction se penche sur le sujet.

Tous bâtis sur le même modèle : de la novlangue administrative émaillée de statistiques et de graphiques ultratechniques, conclue par « ce n'est pas le moment, ce n'est pas compatible avec le droit français et européen, ce n'est pas compatible avec la libre concurrence ».

En bref : nous avons le monopole de l'intelligence.

Si cette « note d'insultes », comme la qualifient les cabinets des ministères dépensiers, ne suffit pas, Paul est prêt à tout pour avoir gain de cause : refus de communiquer les chiffrages d'une proposition de réforme, bidouillage d'une évaluation d'impact en enlevant ou en ajoutant un zéro, ou entretien direct avec le Marquis qui se chargera d'expliquer à l'impudent en quoi son idée est irréaliste.

Ce qui se révèle souvent la plus radicale des solutions pour faire avorter toute réforme ne venant pas du sérail.

– Donc je compte sur vous pour suivre la procédure habituelle, conclut-il avant de se lever, quand Alix débarque dans mon bureau, tous crocs professionnels dehors.

– Ah, vous êtes là. Je viens d'apprendre qu'une agence allait être engagée pour modifier la musique d'attente du standard téléphonique du ministère.

– Non que je sois directement concerné par cette ébouriffante nouvelle, mais admettons, répond Paul en retirant ses lunettes et les essuyant d'un air las.

– C'est un scandale !

Notre directeur lève les yeux d'un air sceptique.

– Je suis désolé, j'ai dû louper une étape. Qu'est-ce qui est un scandale, exactement ?

– Nous avons été écartés de ce projet, s'exaspère Alix.

– ... Projet que l'on peut difficilement considérer comme le pivot de la stratégie de Bercy, temporise Paul.

– Tout doit passer par moi, je suis chef de cabinet. Je suis la plaque tournante de la vie politique française !

Vendredi 4 juillet

11 h 20

Le député arrive, clamant que « la politique, c'est l'imagination », que nous en sommes de toute évidence dénués, mais que notre ministre a compris qu'il nous fallait une expertise extérieure solide, un spécialiste mondialement reconnu.

– Vous ?

– Moi, confirme-t-il avant d'enchaîner : Comme vous le savez, l'un des grands défis de notre monde contemporain est de protéger l'environnement, de réduire les pollutions et de protéger l'avenir de la planète. Et l'autre grand défi est l'équilibre des finances publiques. Vous ne devinerez jamais quelle grande idée j'ai eue.

– Coupler les deux en instaurant des taxes vertes ?

– Ce n'est que le premier pas, dit-il, surpris par cette clairvoyance. Il faut aller au-delà. Comme, par exemple, la mise en place de panneaux photovoltaïques sur les toits des immeubles parisiens.

J'imagine l'architecte des Bâtiments de France hyperventiler et hoche la tête avec enthousiasme.

– Et interdire aux véhicules non dotés d'un compte-insectes de rouler dans les zones non urbaines.

Manifestement il est lancé.

– Non dotés d'un quoi ?

– Un film adhésif recouvrant les pare-brise qui permet de compter les insectes s'y écrasant. Et je propose, en plus, d'instaurer une surtaxe pour les conducteurs ayant tué certaines espèces. Et, ce n'est pas fini, que pensez-vous de la mise en place de toilettes sèches dans tous les établissements publics, avec collecte et méthanisation des déchets ainsi produits ?

Je décide de répondre avec tout le sens de l'esquive dont je suis capable :

– Mmmmh.

– Je vous propose de faire de Paris une ville-test. Transformons la tour Eiffel en éolienne !

– Éoliennes *et* panneaux photovoltaïques, ça risque de faire beaucoup, non ?

– Absolument pas, explique-t-il, avant de se lancer dans un argumentaire interminable dont il ressort qu'outre

191

les éoliennes et les panneaux, on peut installer des pota-
gers urbains et des pâturages. Que Vélib' et Autolib',
c'est bien, mais qu'il faut aller plus loin : des Pédalolib'
sur la Seine ! Moins de pollution, plus d'exercice, sobriété
et santé ! Vous triez vos déchets ? enchaîne-t-il.

— Souvent.

— Vous chauffez votre domicile à quelle température ?

— Dix-neuf degrés.

— Vous avez des enfants ? Combien ?

— Deux.

— Ha ha ! s'écrie-t-il d'un ton triomphant. C'est beaucoup trop.

— Certains soirs, j'avoue partager cette opinion.

— Chaque être humain dispose aujourd'hui d'un rec-
tangle de cent mètres par cent cinquante, alors qu'il y
a dix mille ans il bénéficiait d'une surface mille fois
supérieure. Et l'humain d'antan ne consommait que des
biens recyclables. Par ailleurs, son espérance de vie
n'allait pas au-delà de trente-cinq ans. Donc, il n'y avait
ni crise économique ni pollution.

— Certes, mais le contexte est difficilement transpo-
sable au monde contemporain.

— Détrompez-vous.

Il me l'annonce sans ambages : son association a pour
seul objectif de rendre le monde meilleur et le budget
de la France équilibré. Mais pour accomplir cette tâche
— qui n'est pas simple, reconnaît-il —, il a besoin du
soutien total du Don.

— Il faut impérativement que vous veniez visiter nos
locaux afin de mieux comprendre des enjeux qui, de
toute évidence, vous dépassent totalement, m'explique-
t-il avant d'ouvrir son agenda et de me proposer une
série de dates témoignant de son absence totale d'activité dans les six prochains mois.

Mercredi 9 juillet

9 h 15

Sale journée pour le Don. Après avoir pâli de jalousie en apprenant que l'Arlésien – son ministre de Tutelle qu'il hait – était aux États-Unis pour participer à une réunion du FMI, le voilà qui pique une crise en découvrant qu'il ne pourra pas utiliser l'héliport installé sur le toit de l'Hôtel des Ministres pour son départ en vacances.

– L'hélistation du Colbert est trop petite pour les hélicoptères actuels et le vent rend les atterrissages trop compliqués, explique Paul.

– C'est un scandale ! D'abord vous m'envoyez faire le mariole à un séminaire insignifiant à Marseille pendant que l'autre parade à Washington, et ensuite vous me dites que je vais devoir prendre un taxi pour aller à l'aéroport alors que j'ai un héliport au-dessus de ma tête ? Et puis où sont mes fiches ? vitupère-t-il. À croire que ça vous fait plaisir que je passe pour un con en Conseil des ministres ! Qu'est-ce que vous voulez ? aboie-t-il à sa secrétaire qui se penche vers lui et lui susurre quelques mots en lui tendant son téléphone.

Le Don lui arrache le portable des mains et elle repart en courbant l'échine, à petits pas rapides, vers la sortie :

– Quoi ? Hein ? Comment ça, « ils n'ont pas donné suite » ? Je te rappelle.

Paul et moi échangeons un coup d'œil interrogateur.

– Comme à mon habitude, j'ai pissé de la note administrative de compétition après l'entrevue avec Mon-

193

sieur Verdure expliquant pourquoi le monde n'était pas prêt pour ses idées ô combien novatrices – avant que le Don commence à se déchaîner :

– Vous geignez que les caisses sont vides, je vous trouve quelqu'un capable de les remplir, qui fait l'effort de venir vous voir, et vous ne donnez pas suite ! explose-t-il. J'en ai ras le bol de vous mâcher le travail. J'en peux plus, moi, d'être entouré d'une bande d'incapables ! Avec une équipe digne de ce nom, je serais déjà à l'Intérieur au lieu de croupir ici !

Mardi 15 juillet

9 h 10

Accroché à la barre d'un wagon bondé, les yeux fermés, Amstrad répète comme un mantra qu'on aurait dû prendre un taxi, qu'on s'en tamponne de la crise et que ce n'est pas 40 euros de frais de déplacement qui auraient creusé le déficit budgétaire de la France.

Le métro hoquette, s'arrête et s'éteint.

« Suite à un incident technique, le trafic est perturbé sur la ligne 5 entre Ourcq et Église-de-Pantin. Le trafic reprendra prochainement. Merci de votre compréhension. »

– Prochainement… quand ? demande Coconne.

– Je ne sais pas.

– Mais quand ? Parce que « prochainement », ça peut vouloir dire dans plusieurs heures, tient-elle à préciser alors qu'Amstrad dégaine un tube d'anxiolytiques qu'il vide directement dans sa bouche.

– Bientôt.

– Vous parlez d'une réponse !

– Comme les déficits budgétaires. Bientôt. Avant 2017. Ou jamais.

Le métro repart lentement. Si je tente d'afficher un masque de stoïque résignation urbaine, Coralie n'oublie pas à chaque arrêt de préciser aux laissés-pour-compte du quai de ne pas s'inquiéter et qu'il y en a plein d'autres, des métros.

– Arrêtez de les narguer, on va se faire casser la figure, supplie Amstrad dans un souffle.

Le métro se traîne vers la prochaine station, mais plusieurs passagers commencent déjà à se frayer un chemin vers les portes, à coups de coude et de « paaardon, s'il vous plaaaaaaîîît », d'abord inquiets puis carrément menaçants, sans doute convaincus qu'on ne les laissera jamais sortir.

– Mais pourquoi ils poussent ? se plaint Coralie, soudain écrasée contre la porte du métro, sous l'œil goguenard du lapin qui s'y fait pincer les doigts.

– Parce que chaque jour des milliers de voyageurs n'arrivent pas à descendre du métro et vont jusqu'au terminus parce qu'ils ne peuvent pas sortir.

Amstrad en convulse d'effroi, agrippé à la barre.

9 h 50

Nous sortons dans un endroit particulièrement charmant où les vendeurs de maïs grillé se disputent le macadam avec les putes.

– Normalement, c'est à moins de cinq cents mètres de la station.

– Peut-être, mais je ne vois rien, marmonne Amstrad.

Il pile au milieu du trottoir, le bras tendu au-dessus de la tête afin de capter suffisamment de réseau pour télécharger l'application GPS sur son téléphone.

— Quel dommage d'avoir abandonné ce projet de taxe numérique ! Que voulez-vous que je fasse avec du EDGE ? maugrée-t-il, pendant que nous errons, bercés par les prédictions toujours pleines d'allant et d'optimisme de Coconne qui répète en boucle que nous ne trouverons jamais le bâtiment, qu'elle ne connaît pas ce coin et qu'elle vient d'apercevoir le sosie de Francis Heaulme.

Elle ne veut pas nous inquiéter, mais elle a vu deux fois le *Faites entrer l'accusé* qui lui a été consacré.

— Vous ne pourriez pas vous taire cinq minutes et tâcher de vous rappeler où se situe l'association puisque vous êtes la seule à avoir vu le plan ? s'agace Amstrad. Quand je pense que vous n'avez même pas pensé à l'imprimer !

— J'en sais rien. Vous savez, l'orientation, c'est pas trop mon rayon.

— Il n'est pas bien étendu, votre rayon !

— Ne bougez pas, je vais demander.

— À qui ? s'inquiète Amstrad.

— Aux passants.

— Vous allez demander à des gens ? Ici ? Mais c'est de la folie ! Il peut arriver n'importe quoi !

10 h 20

Je me doutais que l'association du Sauveur de la Planète et la Cour des comptes étaient à l'abri de tout jumelage, mais notre arrivée dans le bâtiment me le confirme brutalement. Son dernier séjour en Californie

196

l'a tellement marqué qu'il a usé de son pouvoir de député pour faire entièrement reconstruire le hall. Les bureaux des deux premiers étages ont disparu au profit d'un immense puits de lumière et les murs sont végétalisés.

– C'est beau ! s'extasie Coconne.

– C'est peut-être beau, mais nous, pendant ce temps, on se fait piquer par toutes les bestioles qui ont élu domicile dans la pelouse murale, maugrée l'hôtesse d'accueil en s'aspergeant de citronnelle.

La charte graphique a beau indiquer que la nouvelle identité visuelle s'inscrit dans une veine épurée, sobre et contemporaine, aux étages, c'est la cacophonie des Pantone.

– C'est très très vert, remarque Amstrad en plissant les yeux.

– C'est gai, décrète Coralie. Pas comme au ministère. Vous n'avez aucun goût, de toute façon. Il suffit de regarder vos vêtements pour s'en apercevoir.

Dans un immense bureau éclairé par une rangée d'halogènes, Monsieur le Député ratisse un jardin zen miniature et nous accueille avec un large sourire :

– J'essaie de faire supprimer la loi sur l'entretien des monuments funéraires qui contredit notre volonté d'éradiquer le désherbage chimique. Des maires mettent en place une politique de zéro pesticide et de terre saine, et leurs administrés osent parler d'« abandon » des cimetières. Les gens ne réalisent pas à quel point la situation est grave !

– Ah bon ? s'inquiète Coralie.

– Nous sommes près de sept milliards d'individus. Vous pensez sérieusement la planète capable de subvenir aux besoins de tous ? Non. La surpopulation contribue au changement climatique. Chaque enfant augmente

les émissions de gaz à effet de serre. Ça va vous éton-
ner…, continue-t-il pendant que mon assistante se
décompose.

Après une heure et demie passée la semaine dernière
à écouter les propositions de l'ayatollah vert, je pourrais
apprendre que le Don s'habille en femme le week-end
que je ne lèverais pas un sourcil.

– … mais un nouveau-né a un coût écologique com-
parable à 620 trajets Paris-New York.

Il n'en faut pas plus pour que Coralie se tourne vers
moi, affolée.

– Donc il faut que je parte à New York pour survivre ?

C'est moche, mais je pense que si Amstrad n'avait
pas pris la parole pour démonter calmement les argu-
ments de Monsieur Catastrophe, j'aurais répondu
« oui ».

Vendredi 18 juillet

16 h 50

Je m'attaque à l'énorme pile de courriers non lus
lorsque la voix de Coralie me fait sursauter :

– Mais vous allez continuer longtemps à faire des
allers-retours devant ma porte ? Vous me collez le vertige
à force.

J'entrouvre la porte pour voir Amstrad faire les cent
pas. Il manque défaillir de soulagement en m'apercevant :

– Vite ! On va être en retard, me presse-t-il, les yeux
rivés sur sa montre, hyperventilant à l'idée de ne pas

arriver au Palais-Bourbon avec sa demi-heure d'avance réglementaire à la réunion d'installation du Comité de pilotage de notre super Haut Conseil bidon.

J'attrape le courrier, le fourre dans mon sac, tasse le tout et entraîne Amstrad vers l'ascenseur.

– On n'est pas en avance, me fait-il remarquer en tapotant sa montre, espérant peut-être voir les aiguilles repartir dans l'autre sens.

– On en a pour dix minutes en voiture. Vingt, car je dois juste déposer mon père au garage avant.

– Pour quoi faire ?

Doubler mes points de karma.

– Euh… régler un petit problème. Ah, d'ailleurs, le voilà…

– Oh, ma fille arrange l'histoire. Il s'agit quand même de satisfaire le racket de la mafia européenne, déclare mon père planté devant l'ascenseur pendant qu'Amstrad me regarde, pétrifié.

– Sa voiture passe au contrôle technique.

Un quart d'heure plus tard, je m'arrête devant un capharnaüm qui relève plus d'une casse que d'un garage. Sans mot dire, mon père s'extrait de la voiture et se dirige vers sa 4L dont il commence à caresser le capot avec plus d'affection qu'il n'en a jamais montré à l'égard de sa femme.

– On ne va pas l'attendre, quand même ? demande Amstrad.

– Deux minutes, je vérifie juste que tout va bien.

– Je ne voudrais pas me montrer pessimiste, mais j'ai l'impression que ce n'est pas le cas.

Effectivement, ce n'est pas le cas. Mon père agite les bras en l'air puis saisit le garagiste par le col et le secoue, ce bandit qui, au lieu de changer le joint de culasse, a apparemment pris l'initiative de démonter le moteur de sa fidèle 4L. Sa place serait à la casse, celle de mon père en prison. Je jaillis de la voiture pour les séparer.

— Salaud de profiteur ! Ma fille travaille au gouvernement ! Vous allez voir ce que vous allez voir, éructe mon père, vibrant de colère. Elle emploiera les moyens qu'il faut.

Police grasse dans ma future note administrative consacrée à ce dossier épineux ! Times New Roman 14. Tremble, garagiste véreux !

— Vous aurez besoin de ses contacts quand vous serez en prison pour agression ! se défend le garagiste, en brandissant une clé à molette.

— Je peux savoir ce qui se passe ?

— Je ne suis pas un escroc, répète en boucle le garagiste, sans m'en dire davantage.

Non que l'affirmation ne mérite qu'on se penche très sérieusement dessus, mais le temps pressant, je décide d'écourter le débat :

— Pouvez-vous garder la voiture quelques jours, en attendant que nous prenions une décision concernant les réparations que vous proposez ?

— C'est tout décidé, maugrée mon père. J'ai acheté cette voiture l'année de ta naissance et cet escroc refuse de me changer une malheureuse pièce, râle mon père. Qu'en déduis-tu ?

— Que les 4L ont une longévité moindre que les êtres humains.

— Je ne bougerai pas d'ici avant que ma voiture soit prête.

Amstrad semble à deux doigts de la syncope.

— Écoute, nous sommes pressés, nous ne pouvons pas être en retard à la réunion. Je t'emmène avec nous, tu nous attendras devant l'Assemblée.

– Dans la voiture ? Comme un vieux chien ? Tu me laisses un filet d'air au moins ?

– Pas dans la voiture. Dans le bistrot à cent mètres de l'Assemblée.

– Pour payer le café deux euros ? Hors de question. Je peux savoir pourquoi je ne peux pas aller à l'intérieur ? Tu as honte de ton père ?

Oui. Mais là n'est pas la question.

– C'est soit le café, soit la voiture.

– Tu sais que j'ai horreur d'être enfermé, continue-t-il d'un ton geignard.

Sauf à la maison devant la télé.

– Je déteste les cafés parisiens, surtout dans cet arrondissement de bourgeois. Et dans la voiture, je pourrais faire un malaise. D'ailleurs, je me demande si c'est bien légal de laisser une personne âgée seule dans une voiture. Vous, là, au lieu de ronger vos ongles, vous en pensez quoi ?

Avant qu'Amstrad, dont l'air pénétré montre qu'il y réfléchit, ne se lance dans une longue exposition des textes et de la jurisprudence susceptibles d'apporter une réponse, je le pousse hors de la voiture en lançant au claustrophobe cacochyme :

– Vingt euros et les clés. Tu ne bouges pas de la voiture. On revient dans deux heures.

17 h 45

Alix a réussi l'exploit de recaser tous les potes du Don et ce joyeux aréopage de blaireaux s'en donne à cœur joie pour enfoncer les portes ouvertes de leur bélier de lieux communs.

– Un budget, c'est une cohérence globale, explique un quinquagénaire autoproclamé spécialiste des finances publiques. Nous avons l'un des niveaux de dépense publique parmi les plus élevés au monde. Mille deux cents milliards d'euros de dépenses publiques par an, c'est énorme.

– C'est terrible, renchérit un autre. Mon association a commandé un sondage. La majorité des Français approuvent la nécessité de faire des économies.

Je n'ose lui demander combien il a payé pour cette inestimable info.

Tous hochent la tête.

– La mauvaise dépense publique doit cesser de chasser la bonne, reprend le leader des nazes, émoustillé d'être aussi grassement payé pour exprimer sa navrante nature.

Amstrad peaufine sa stratégie du locked-in syndrome et semble totalement déconnecté de la réalité, le veinard.

Comme dans un rêve, mon portable vibre et le numéro de Paul apparaît.

Je m'excuse et sors de la salle en réfrénant mon envie de courir.

Alors, cette réunion d'installation du Comité de pilotage ?

– À mi-chemin entre la thérapie de groupe et l'incantation divinatoire. Le tout mâtiné de pensée magique.

– Comme prévu. J'ai une excellente nouvelle. J'ai trouvé le moyen de nous débarrasser d'Alix, m'annonce-t-il.

– Légalement ?

– Évidemment. Comment fait-on pour écarter une emmerdeuse sans qu'elle s'en aperçoive ? En la valorisant. En lui confiant un dossier clé !

– Vous me faites peur, là.

– Vous vous souvenez du scandale qu'elle a fait lorsqu'elle a appris que la musique d'accueil du standard allait être changée sans que sa précieuse opinion ait été prise en considération ?

– Comment oublier l'esclandre de la plaque tournante de la vie politique française ?

– Le pilotage du projet, ce sera elle ! Cette gourdasse est ravie. Le temps qu'elle se fasse rédiger l'appel à projets, qu'elle choisisse la boîte de com qui va se charger de la promo du truc, qu'elle pérore pour expliquer que la modernisation de l'administration française est entre ses mains, paf, six mois de gagnés ! Ensuite, on lui fera changer les couleurs du site Internet et paf, six mois de plus !

Vendredi 25 juillet

14 h 15

Planquée dans mon bureau, je vérifie la répartition des crédits entre les programmes de chaque ministère lorsque l'hagiographe du Don débarque, écarlate, en sueur.

– Y a la dame qui voudrait vous voir dans son bureau, ahane-t-il entre deux tentatives pour reprendre son souffle.

– La dame ?

– La dame de la com. Elle a dit « tout de suite ». Elle a dit que vous aviez rendez-vous avec elle et que vous étiez en retard. Elle est pas commode, rajoute Bébert, en s'épongeant le front avec sa cravate.

– Je n'ai rien cet après-midi, sauf si... Coralie ?

– Oui ?

– Déjà, j'aimerais que vous perdiez cette habitude d'écouter aux portes... Ensuite, avez-vous noté un rendez-vous avec Vivianne ?

– Non, mais vous en avez un, à quatorze heures.

– Vous développez un peu ?

– J'ai lu dans un article que le perfectionnisme et la dispersion étaient les deux causes principales de l'inefficacité, m'explique Coconne.

– Et de cette saine lecture, vous avez déduit que noter une réunion avec Vivianne était superflu ?

– Le mieux est l'ennemi du bien, déclare-t-elle en hochant la tête d'un air pénétré.

– Essayez le passable. Ensuite, on verra pour le bien.

J'arrive dans le bureau de Herr Kaiser pour l'entendre expliquer au Don, apparemment en visite dans les services, que l'un des plus grands plaisirs de la directrice du FMI est de boire un thé vert avec quelques carrés de chocolat en guise de déjeuner.

– C'est tout ? grimace le Don avant d'avouer : Moi, j'adore le tripou avec un bon coup de blanc. Ça nettoie et met d'attaque pour le reste de la journée !

Herr Kaiser tord le nez de dégoût.

– Votre honnêteté vous honore, mais je vous avouerai que l'on perd un peu en poésie et en sobriété. Ce que je veux vous expliquer, c'est qu'elle n'a pas hésité à se dévoiler, à parler de ses blessures d'enfance.

– Mon enfance a été très heureuse, coupe le Don.

Herr Kaiser grimace, ennuyée.

Le bonheur n'est pas vendeur.

Après avoir bâillé longuement, le Don s'étire et nous explique qu'en raison des contraintes de son emploi du temps, il se voit obligé de nous laisser continuer sans lui.

Nous savons tous les trois que son agenda est vide, mais nous acquiesçons comme un seul homme.

– Où est de Montmaur ? s'impatiente Herr Kaiser.

– C'est vendredi, il déjeune à l'Élysée avec le dir' cab de l'Arlésien.

– Quand est-ce que j'irai déjeuner à l'Élysée ? C'est toujours les mêmes qui s'éclatent, demande Coconne, toujours à râler.

– Les directeurs de cabinet de Bercy passent en revue les questions économiques lors de ces déjeuners.

– Et ?

– Vous n'avez donc pas plus votre place à ces déjeuners que dans la navette spatiale pour la planète Mars, c'est tout.

– Ça fait trois fois qu'on repousse son interview dans ce magazine people, donc là, je dois impérativement préparer l'entretien qu'il aura avec le journaliste, m'informe Herr Kaiser. J'ai fait un petit film, explique-t-elle avant de lancer un mini-documentaire retraçant la carrière du Don, dont 95 % consiste à couper des rubans d'inauguration et à s'enfiler le verre de l'amitié, un gobelet en plastique de mousseux serré dans sa grosse paluche poilue.

– C'est tout ? s'étrangle Paul. Mais comment va-t-on faire ?

Sachant que la vie privée du Don n'est la source d'aucune spéculation angoissée de la part de la gente féminine, concentrer l'attention du public sur son éclatante personnalité ne va pas être chose aisée.

Samedi 1ᵉʳ août

10 h 45

Il existe deux sortes de voyageuses : celles qui, la démarche altière, tirent élégamment leur combiné valise-vanity Vuitton, à petits pas gracieux dans leurs sandales Prada, et les sherpas urbaines qui cavalent comme des dératées en ployant sous un chargement qui menace de se répandre sur le trottoir à chaque instant.

Aujourd'hui, je sais exactement à quelle catégorie j'appartiens. Tirant une valise débordant de vêtements sur laquelle est juché le sac à jouets de mes enfants, maintenu par deux tenders de couleurs différentes, le dos courbé sous le poids d'un sac à dos à la fermeture approximative, je tente de récupérer les papiers de réservation de la voiture de location pendant que mon père marmonne que vraiment, ça commence bien, ces vacances.

11 h 35

J'ai toujours pensé qu'idéalement, pour un voyage paisible, il nous faudrait deux voitures contenant chacune un enfant pour éviter qu'ils se tapent dessus. Moins d'une heure de trajet avec mon père me permet de préciser le principe : il nous faudrait quatre véhicules, un par personne, avec des chauffeurs particuliers.

– On étouffe ici. Je ne comprends pas pourquoi tu t'obstines à poser tes congés en août alors que c'est la canicule.

– Tant que tu as la force de râler, j'appelle pas ça la canicule.

– C'est quand qu'on arrive ? demande Arthur pour la huitième fois.

– Bientôt.

– Avant manger ?

– Oui, mais prends un gâteau au cas où. Et donnes-en un à ta sœur.

– Est-ce que ta mère va nous rejoindre ?

– J'en doute, elle est dans un ashram au fin fond du Kerala.

– Le Kerala ? Mais c'est où ?

– Dans le sud de l'Inde.

– Mais qu'est-ce qu'elle va foutre dans le sud de l'Inde alors que je pars en vacances en Bretagne ? s'insurge mon père.

– De la méditation et du yoga.

– Un ashram, répète-t-il, dépité. Et y a besoin de partir à l'autre bout du monde pour s'asseoir en tailleur et faire semblant de réfléchir ?

– Apparemment, oui.

– Mais tu as des nouvelles ?

– Elle a laissé un message sur mon répondeur en me disant qu'elle avait l'impression d'avoir retiré un voile opaque de ses yeux et de voir plus clair.

– Ce qu'on n'entend pas comme conneries ! peste mon père. C'est toi qui lui as soufflé cette idée ? demande-t-il d'un ton accusateur pendant qu'à l'arrière, un débat s'engage sur la définition de ce « chram » où Mamie s'est retirée pour se trouver.

– Je travaille à la direction du Budget du ministère des Finances et je pars en vacances avec mon père, ma sœur et nos enfants. Il y a plus ésotérique, non ?

– Tu as fait du droit, lâche mon père. Tu aurais dû la faire mettre sous tutelle quand elle a commencé à dérailler.

– Se barrer à l'autre bout du monde ou parader avec un éphèbe de trente ans est certes pénible pour toi, mais ça reste parfaitement légal.

– Elle n'a plus toute sa tête ! argumente-t-il.

– Elle ne l'a jamais vraiment eue.

Mercredi 5 août

15 h 35

Passer un après-midi en famille à la plage tient plus du pensum que de la détente. Et ce n'est pas Marc à qui sa femme a confié une tente, deux parasols et un sac débordant de serviettes qui me contredira. Ma sœur a toujours réussi le tour de force de transformer les loisirs en corvées sur fond de culpabilisation. Pour le moment, elle s'affaire à dresser un camp, disposant avec dextérité chaises, serviettes, ballons, seaux, raquettes, mini-glacières et bouteilles d'eau.

– Dis-moi, l'été que tu as passé aux jeannettes, tu l'as sacrément amorti. Tu comptes t'installer définitivement ici ?

– Je suis prévoyante. On ne sait jamais.

On sait au moins que si la plage, pour une raison apocalyptique, se retrouvait coupée du monde extérieur, nous pourrions vivre deux mois minimum sur les provisions d'Élise avant de commencer à nous dévorer les uns les autres.

Pour ma sœur, le bord de mer n'est pas un endroit où se détendre et bronzer. Son credo ? Tout peut arriver et elle compte bien anticiper le moindre danger, des puces de sable au kidnappeur pédophile en passant par les beignets suintant de gras et de bactéries. À peine arrivée, elle enfile prestement à son fils une combinaison anti-UV et des brassards, tout en lui expliquant que s'éloigner du parasol lui vaudrait d'être privé de tout jusqu'à sa majorité.

Préposé à la crème solaire indice 50, mon beauf tartine avec anxiété sa cadette qui ne dépassera pas le périmètre du parasol, tout en prodiguant à son fils quelques conseils de survie : ne porte pas les mains à ta bouche, garde bien tes lunettes de soleil, n'ôte tes chaussures sous aucun prétexte et évite de toucher le sable, c'est sale.

– Louis ! Recule ! Ne t'approche pas de l'eau, c'est dangereux ! hurle tout à coup ma sœur à son fils qui a eu l'inconscience de faire deux pas en direction de la grève.

Les mentons de tous les enfants alentour commencent à trembloter pendant qu'ils reculent en lui jetant un œil affolé.

– Emmène donc ton gosse se mouiller les pieds, maugrée mon père. Si c'est pas malheureux d'interdire à un grand gaillard comme lui de se baigner. Ceux de Zoé y sont déjà et ils n'ont pas l'air en perdition, bon sang de bois !

– Peut-être pas maintenant, répond ma sœur d'un air pincé. Chéri, tu devrais faire un parcours, suggère-t-elle à son mari qui, affalé sur une serviette, tape sur les boutons de sa console comme un dément.

Mon beau-frère ne joue pas au golf, mais uniquement avec l'idée qu'il le pourrait s'il voulait. Son fervent désir de ne pas tuer dans l'œuf ses potentiels après-midi sportifs lui vaut chaque été de trimballer la panoplie complète du pêcheur, du tennisman, ainsi qu'une collection hallucinante de ballons de toutes formes dont je le soupçonne d'ignorer l'usage, pour la plupart d'entre eux.

— Ta sœur m'épuise, me confie mon père pendant que nous nous rapprochons du rivage. Elle va le rendre fou, son môme.

Dimanche 9 août

8 h 10

Je profite de l'absence de ma sœur partie chercher du poisson à la criée pour bourrer les enfants de tartines beurrées en espérant que peut-être, cette fois, nous ne nous mettrons pas à table à onze heures trente, parce que « tu ne vois donc pas que les enfants sont au bord de l'hypoglycémie ? », quand mon portable sonne.

— Zoé ? c'est Paul. Je ne vous réveille pas, au moins ?

— Je passe mes vacances avec quatre enfants de moins de six ans. À six heures quarante-cinq, nous sommes tous au garde-à-vous.

— Bon, c'est la cata. Notre secrétaire d'État préféré a rencontré dans son cinq étoiles un ancien député qui lui a fait l'éloge du prélèvement à la source.

— C'est le come-back du prélèvement à la source comme panacée fiscale !

— Mieux vaut ça que les annonces sauvages aux journalistes.

– Il empiète sur le portefeuille de l'Arlésien, non ?

– Oh, l'autre est suffisamment intelligent pour savoir que ça ne mènera une fois de plus à rien et lui laissera avec plaisir ce sac de nœuds. J'ai vu avec la direction du Trésor et nous avons décidé de préparer une note cosignée de nos deux directions.

– Diantre. Et on est pour ou contre, cette fois ?

– Comme d'habitude : « La balance entre les avantages et les inconvénients ne justifie pas un tel basculement sauf en cas de réforme fiscale d'envergure. » J'aimerais que vous développiez la notion de coûts de gestion élevés pour les entreprises.

– C'est comme si c'était fait.

23 h 45

– Tu ne dors pas ?

Je fais volte-face et manque de hurler : bigoudis enserrés sous un filet, crème de nuit étalée en masque sur le visage et improbable robe de chambre rose bonbon, Élise tient un mug de tisane dans une main et une éponge dans l'autre.

– Que fais-tu à cette heure ?

– Je dois recycler une vieille note pour le boulot.

– Recycler ? Mais vous n'êtes pas censés innover pour sortir le pays de la crise ?

Une bureaucratie est faite pour reproduire des procédures... pas pour initier le changement.

Ma sœur hoche la tête et commence à aligner les chaussures des enfants contre le mur.

– Elles sont très jolies, les chaussures de ta fille, s'étonne-t-elle.

– Emma a curieusement très bon goût en la matière. Elle doit tenir ça de toi.

Alors que notre mère a toujours préféré nous affubler de chaussures plates garanties increvables, Élise a rapidement pris la mode très au sérieux.

Fagotée dans des jodhpurs qui lui donnaient la grâce du mammouth dans *L'Âge de glace*, ma sœur avait pris l'habitude d'aspirer l'intérieur de ses joues pour avoir l'air des mannequins dont les portraits s'étalaient sur ses classeurs. Malheureusement, elle ressemblait plus à notre grand-mère sans son dentier qu'à Kate Moss.

– Mais tu fais le ménage même la nuit ?

– Je suppose que ce n'est pas toi qui vas t'y coller. À croire que je suis la seule à voir ce qui ne va pas, ici. Les enfants dérangent tout. De toute façon, je n'arrive pas à dormir. Comment fais-tu pour ne pas culpabiliser d'avoir inscrit les enfants à la journée de sortie du Club Mickey ?

– Je devrais ?

S'il est un jour sur lequel je fantasme littéralement, c'est celui de la sortie du club de plage auquel sont inscrits les enfants et tous leurs petits copains dont les parents sont ravis de se débarrasser pour la journée.

– Jamais Maman ne nous aurait ventilées en centre aéré alors qu'elle était en vacances.

– Elle aurait peut-être dû.

Ma sœur secoue la tête d'un air désapprobateur, verse une grande rasade de gel ammoniaqué sur une éponge et commence à récurer l'évier en soupirant.

Jeudi 13 août

10 h 45

Je rentre du marché et pose les sacs sur un sol détrempé.

– J'ai décidé de faire le ménage, comme ça, quand ta mère reviendra à la maison, elle sera bien contente que je lui donne un coup de main, m'informe mon père. Maintenant qu'elle a décidé d'être moderne avec toutes ces conneries de partage des tâches ménagères, je vais essayer de m'y mettre, ajoute-t-il en extrayant une serpillière dégoulinante d'un seau et en la jetant sur le parquet de toute sa hauteur.

– Que fais-tu exactement ? demande ma sœur d'un air soupçonneux.

– Je nettoie le sol, annonce mon père, fièrement.

– Avec la serpillière qui t'a servi à... à quoi ? Ramoner la cheminée ? Comment veux-tu nettoyer du parquet non vitrifié avec une serpillière aussi dégoûtante et trempée ? Tu vas nous faire perdre la caution. Je peux savoir pourquoi tu ne lui as rien dit ? me demande-t-elle, furibonde.

– Je viens juste d'arriver.

– Comment veux-tu que je sache comment on nettoie du parquet ? J'en ai jamais eu. Je l'ai toujours dit, rien ne vaut un bon lino, rétorque mon père.

– Mais c'est n'importe quoi ! hurle Élise, déclenchant immédiatement un braillement de sa fille. Vous allez tous me rendre folle, conclut-elle en montant les escaliers à grand bruit avant de claquer la porte de sa chambre.

Mon père en laisse tomber le seau. Cinq litres d'eau noirâtre se déversent instantanément sur le tapis que nous regardons consciencieusement s'imbiber.

— Mais elle était aussi pénible que ça, quand vous étiez gamines ? Je ne me rends pas compte.

Samedi 22 août

15 h 30

Comme tous les après-midi, je m'installe sur ma serviette, ouvre un livre que je ne lirai pas et écoute ma sœur expliquer aux enfants que s'ils vont se baigner et survivent aux méduses qui flottent par paquets de douze, ils vont certainement mourir d'hydrocution.

— Mais pourquoi on ne les voit jamais, tes méduses ? demande Arthur en commençant à creuser un trou qui me vaudra probablement vingt minutes de leçon de morale sur l'air de « tu ne te rends pas compte, mais chaque année, des centaines d'enfants meurent étouffés dans des trous qu'ils ont eux-mêmes creusés ».

Sans doute parce qu'elles n'existent que dans le cerveau parano de ta tante, mon chéri.

Élise vide la moitié du tube de crème solaire sur les épaules de sa fille et se tourne vers moi.

— Je ne voudrais pas me mêler de ce qui ne me regarde pas, commence-t-elle, mais Emma ne savait même pas que le poulet était un animal.

— Les vacances sont faites pour ce genre de découverte.

– Et Arthur était convaincu que les haricots verts poussaient surgelés.

– Même réponse.

– Ça n'est pas normal, insiste-t-elle.

– Que veux-tu que je te dise, exactement ?

– C'est vrai que ce soir, vous allez dîner sans nous au restaurant ? nous interrompt ma fille.

– Ce soir, nous faisons une soirée entre grandes personnes. Léa vient vous garder et nous avons loué des DVD pour que vous vous amusiez bien.

– Mais j'ai pas envie que tu ailles au restaurant sans moi, répond Emma, lèvre inférieure bulbeuse et tremblotante.

– Vu qu'elle ne te voit pas de l'année, ce n'est pas étonnant qu'elle veuille que tu restes à ses côtés pendant les vacances. Les enfants ont besoin d'attention, pontifie ma sœur, une note de triomphe dans la voix.

– Emma, je te rappelle que la dernière fois tu m'as dit que tu n'aimais pas le restaurant parce qu'on attendait trop entre les plats.

Emma considère un instant ma réponse avant de demander :

– Est-ce qu'on peut avoir une glace, alors ?

– Oui. Allez vous en acheter une. Tous les trois.

– Comment peux-tu faire ça ?

– Ça, quoi ?

– Il faut leur apprendre à gérer leurs frustrations, à canaliser leurs problèmes dans quelque chose de constructif. Tu ne peux pas céder à la première contrariété, surtout en leur proposant de la nourriture. Tu vas susciter chez eux des envies de manger émotionnelles.

– Des quoi ?

215

— Je vais te prêter *Manger ses émotions,* de Guylaine Guevremont, tu verras, ça te montrera qu'il ne faut pas céder de cette manière, sous peine de fabriquer des adultes boulimiques et dépressifs.

— Je passe toute l'année à gérer des caprices, des sautes d'humeur, des crises d'autoritarisme, des exigences délirantes, alors, en vacances, je cède. Surtout lorsque c'est aussi anodin et normal qu'avoir envie d'une glace en plein été.

— Mais ma pauvre, je ne savais pas qu'ils t'en faisaient voir autant, souffle Élise, la voix ramollie par la désolation. Ils ont l'air si mignons, si calmes, si polis…

— Je parlais de mon secrétaire d'État, pas de mes enfants ! Cela dit, c'est la première fois en cinq ans et demi que tu me fais autant de compliments sur Arthur et Emma, donc même si c'est par inadvertance, je vais prendre quelques instants pour les savourer.

20 h 15

Je suis en pleine tentative de corruption de la baby-sitter afin qu'elle couche les enfants le plus tard possible, malgré les consignes catégoriques de ma sœur de ne pas les faire veiller au-delà de vingt heures quarante-cinq, lorsque Élise arrive et s'arrête devant notre père en grimaçant :

— Je t'avais préparé une tenue. Pourquoi ne l'as-tu pas mise ?

— Parce que je ne suis ni ton mari ni ton enfant, rétorque mon père. Où est le problème ? Pourquoi tu fais la tête ? Tu as honte de ton père qui s'est saigné aux quatre veines pour vous élever, ta sœur et toi ? Zoé, il y a un problème avec ces vêtements ?

– Aucun. Tu as décidément beaucoup de chance : cette année encore, la mode est aux pantacourts à poches et aux claquettes en cuir. Et on ne pense pas assez souvent à l'élégance intemporelle d'un polo élimé avec un gros logo publicitaire.

– Vous êtes des snobs, des petites-bourgeoises, décrète mon père en attrapant sa sacoche et en sortant avec toute la dignité que permet une semelle décollée.

– Elle va jamais revenir, soupire Élise.

– Qui ? demande Emma.

– Mamie. Tu penses que Mamie va revenir ?

– Élise. C'est une enfant. Pas un oracle.

– Tu es belle avec ta robe, déclare Emma en me passant les bras autour du cou. Est-ce que je pourrai la porter quand tu seras morte ?

Septembre

Burning Ambition

« Deux milliards d'impôts ! J'appelle plus ça du budget, j'appelle ça de l'attaque à main armée. »

Michel Audiard,
La Chasse à l'homme

Mardi 1er septembre

9 h 15

Rentrée des classes à Bercy. Les menaces téléphoniques du Don ayant autant d'effet que sa politique sur la crise, nous nous retrouvons tous dans le bureau de notre directeur :

– Ce mois d'août a encore été marqué par une frénésie d'annonces démagogiques que nous sommes désormais chargés de démentir, annonce Paul, alors qu'alignés autour de la table de réunion, nous échangeons discrètement des anecdotes de vacances. J'ai besoin d'une note argumentée sur la hausse de la décote. Ne vous plaignez pas. Au Trésor, ils rédigent des notes de démenti de toutes les promesses de baisses d'impôts et de défiscalisation sorties dans la presse en août, rajoute-t-il en nous voyant nous concentrer sur notre bloc-notes.

– Qu'est-ce que c'est que ce charabia ? demande le Don en entrant dans la salle. « La croissance sera vigoureuse en France au quatrième trimestre, mais la reprise sera vraisemblablement contenue. » C'est bien ou c'est pas bien ? Vos finasseries de technocrates, on n'y comprend rien. Vous êtes au courant de la bonne nouvelle pour Alix, je suppose ?

A-t-elle contracté le choléra ?

– Il est temps de nous mettre en ordre de bataille pour les présidentielles. J'ai donc décidé de la nommer spin doctor.

Peut-être va-t-elle périr intoxiquée par l'exubérance de sa verbosité ?

– Je vous rappelle tout de même qu'avant, il y a la loi de finances à finaliser et à défendre pour qu'elle soit adoptée, intervient notre directeur.

– Ça, c'est votre boulot, fait remarquer le Don.

– Parfaitement, renchérit Alix qui vient de surgir derrière son seigneur et maître. C'est votre… Mince, je ne sais plus comment on dit en français, s'exaspère-t-elle en levant les yeux au ciel et en claquant des doigts, comme si seul le mot anglais lui venait naturellement. Ah, « responsabilité ».

Car Alix rentre de Floride où elle s'est familiarisée avec de nouveaux concepts innovants. Comme ajouter un « s » au verbe conjugué au présent, à la troisième personne du singulier.

Pendant qu'elle s'éloigne pour répondre à un appel, le Marquis prend le relais. Car lui ne part pas en voyage mais « fait des expériences » dont il se gargarisera à l'envi pendant trois semaines, avant de nous saouler avec la préparation de sa prochaine expédition à l'autre bout du monde.

– Lors du séminaire de rentrée, lâche le Don négligemment, j'ai vu le Premier ministre qui m'a dit qu'il allait très sérieusement réfléchir à ma proposition de donner plus d'importance à notre Haut Conseil. Il va me recontacter dans les plus brefs délais, s'excite-t-il sans remarquer l'air las de Paul.

— *I give you back*, Bébert, promet Alix en tendant son téléphone à l'hagiographe du Don qui vient de débarquer, engoncé dans un costume de proxénète albanais, le visage planqué derrière une paire de hublots opaques. Elle se tourne vers nous et annonce : Pour le dossier qui vous préoccupe, je vais faire du benchmarking... Je pars demain, conclut-elle avant de quitter la pièce.

— Et moi, je vais me concentrer sur la nouvelle positive du jour : elle part, se réjouit Paul. En revanche, je n'ai compris ni où, ni pour quel dossier, ni ce qu'elle va faire.

— Alix part à Florence où se tient un colloque sur les stratégies d'accueil des administrés, précise le Marquis.

— Un colloque en Toscane sur les stratégies d'accueil des administrés ? répète Paul, incrédule. Encore de l'argent public bien utilisé !

Jeudi 3 septembre

8 h 15

Je vérifie que les dizaines de formulaires administratifs que j'ai passé la soirée à remplir ne se sont pas échappés pendant la nuit des cartables des enfants et ne lève la tête que pour motiver mes troupes :

— Les enfants, on ne mollit pas, on ne peut pas arriver en retard le jour de la rentrée.

— Et les autres jours, on pourra ?

– Non plus. Pourquoi ton pantalon godille-t-il sur tes chaussures ? Il t'allait parfaitement bien hier dans la boutique. Tu n'as pas rétréci dans la nuit, dis-moi ? Attends.

Je m'accroupis et resserre la ceinture d'Arthur pendant qu'Emma tourne sur elle-même, émerveillée par les mouvements de sa jupe neuve.

– Quand tu étais petite…, commence-t-elle.

– La télé en couleurs existait déjà et les voitures aussi.

La notion du temps étant assez spéciale chez les enfants, je préfère anticiper. Quelques mois auparavant, Emma avait demandé à Élise des précisions sur notre enfance, avec un mélange d'admiration et d'effroi, intimement convaincue que nous nous rendions à l'école dans une carriole tirée par des dinosaures. Elle était revenue vers moi estomaquée d'apprendre que les bus, les sweat-shirts à paillettes et les baskets existaient déjà.

– Mamie et Papy t'achetaient des nouveaux vêtements pour la rentrée ?

Les rentrées scolaires étaient marquées par l'immuable bras de fer entre ma mère qui rêvait de nous habiller dans les magasins à la mode et mon père qui avait le chic pour dégoter une petite boutique en plein déstockage où nous aurions quasiment la même chose pour beaucoup moins cher.

– Bien sûr.

Nous arrivons devant l'école et pendant que la marée humaine ondule vers les sacro-saintes listes de répartition des classes, je cherche du regard une tête amie.

– Ils ont grandi !

– Les tiens aussi.

– Tu m'étonnes, je les ai bourrés de bonbecs et de glace pendant ces vacances pour avoir la paix. Sucre et calcium à volonté. Le carburant des champions. Je plaisante à peine...

Brusquement, la voix de Marielle retentit dans mon dos :

— Mais avance, enfin ! Eh bien, s'ils ne bougent pas, tu les pousses !

Son fils plaqué devant elle, Marielle, les mains fermement calées sur ses épaules, fonce dans le tas des parents, se frayant d'autorité un chemin à grand renfort de « excusez-moi » agacés.

— Je suis dans un état de nerfs in-di-cible, m'apprend-elle, ignorant ostensiblement Gaëlle. Nous n'avons pas eu la dérogation, c'est épouvantable, tu te rends compte ?

Pas bien, non.

— Il faut absolument que tu m'aides, je ne peux décemment pas laisser Foulques dans cette école, continue-t-elle. Il va régresser. Il est précoce, je te l'ai déjà dit, il me semble ?

Plusieurs douzaines de fois.

— Tu ne réalises pas ta chance d'avoir des enfants moyens. Tu as des contacts au gouvernement, donc il faut absolument que tu m'aides à sortir Foulques de là.

— Tu sais, je bosse aux Finances, pas à l'Éducation nationale.

— Et ton ex-mari ?

— À l'Écologie.

Marielle grimace avant de me toiser comme si elle évaluait le temps perdu à m'adresser la parole durant ces trois années, tourne les talons et repart bousculer les autres parents.

— Les vacances, ça l'a pas arrangée, décrète Gaëlle. Les tiennes se sont bien passées ?

– J'ai survécu à trois semaines avec mes enfants, mon père, ma sœur et toute la famille. Je suis invincible.

9 h 10

Je sors du café où je viens de passer trois quarts d'heure à rhabiller Marielle et son génie pour l'hiver avec Gaëlle et, dans un élan d'optimisme béat, décide de rallier mon bureau à pied. Dix minutes plus tard, je réalise que même en trottinant de guingois sur des talons trop hauts, je n'ai aucune chance d'arriver à l'heure.

Je hèle un taxi et m'effondre sur le siège, courbée en deux par un point de côté. Tout en tentant de reprendre mon souffle, j'observe à travers la vitre le ballet des cyclistes et me promets de me remettre au vélo. Après. Lorsque la loi de finances sera bouclée et votée.

Je referai du sport, préparerai des repas équilibrés et bio aux enfants, les lèverai tôt afin d'arriver à l'école avec un quart d'heure d'avance, rangerai l'appartement régulièrement et trierai notre linge sale pour ne pas retrouver des chemises rosies d'avoir été lavées avec les innombrables costumes de princesse d'Emma. Je serai une adulte accomplie et responsable qui paiera ses factures dès réception. Pas lorsqu'elle se décide enfin à acheter un timbre une fois la lettre de relance reçue.

Ce sera bien.

Peut-être un peu fastidieux dans un premier temps, mais bien.

Sans doute intenable plus de deux jours, mais bien quand même.

Mardi 8 septembre

17 h 30

— J'ai relu votre machin, que vous appelez « pré-rapport sur le projet de loi de finances », et il y a certains points que je ne comprends pas, nous annonce le Don en faisant tomber un épais dossier sur le bureau de Paul.

Notre directeur relève les yeux de la présentation que nous finalisons et que le Marquis validera après avoir fait quelques remarques de haut vol sur la ponctuation.

— Lesquels ?

— En fait, tous.

Paul retire ses lunettes d'un geste las et déclare lentement :

— Monsieur le Ministre, ça fait six mois qu'on ne parle que de ça. Vous allez présenter une partie de ce texte en Conseil des ministres incessamment et vous êtes en train de me dire que vous ne l'avez pas compris ?

— Je ne suis pas spécialiste des finances publiques.

On tombe de haut.

— Je me disais que ça n'avait de toute façon aucune importance et que lire vos éléments de discours suffisait largement, reprend le Don.

— Dans ce cas-là, qu'est-ce qui a changé ?

— J'ai eu le ministre au téléphone, enfin notre Tutelle... Et, je commence à croire que ça pourrait être un texte important. Je veux tout le monde dans mon bureau. Vous, là, m'interpelle-t-il en claquant des doigts. Vous m'apportez un café. Allongé à l'eau d'Évian à température ambiante. Un sucre. Et surtout, vous remuez bien parce que si c'est pour boire un café amer avec un fond écœurant, c'est pas la peine.

Herr Kaiser foudroie le Don du regard, Paul baisse les yeux.

— Ah, mais vous êtes là, se réjouit le Marquis en nous emboîtant le pas. Justement, Paul, je t'ai appelé hier soir, mais tu étais déjà parti et le portable était sur messagerie, expose-t-il en haussant suffisamment le ton pour que le Don n'en perde pas une miette. Ça m'a étonné, il était à peine vingt et une heures trente. Que se passe-t-il ?

— Il se passe que, comme tous les ans ou presque, le projet de loi de finances est obsolète avant même d'avoir été présenté et que nous sommes en train de chercher où rogner. Comme nous l'avions anticipé, l'hypothèse de croissance sur laquelle nous nous sommes fondés pour bâtir le budget est trop optimiste, conclut Paul.

— Surréaliste, marmonne Amstrad.

— Si vous voulez, coupe notre directeur. Le Haut Conseil des Finances publiques s'apprête à retoquer notre budget, il en sera de même pour la Commission européenne si on ne le recadre pas. Pour boucler le budget, on s'est fondés sur l'hypothèse d'une croissance de 2 % l'année prochaine.

— Ben, c'est bien ça, 2 %, déclare le Don en buvant une gorgée de son café, marquant son approbation d'un signe de tête. Y a pas à dire, Paul, vous savez vous entourer. Ce café est parfait.

Mon directeur prend une grande inspiration, ignorant le regard noir que lui jette son épouse, et continue :

— Les instituts de conjoncture tablent sur 0.9, 1 % si un miracle se produit.

– C'est fâcheux, mais vous savez comment ils sont, ces rabat-joie. Concrètement, ça change quoi ?

– Ça change qu'au lieu de ramer pour trouver douze milliards d'économie, on va devoir galérer pour en trouver vingt et atteindre les objectifs fixés par Bruxelles.

Une paille.

– Vous me rappelez pourquoi une ville nous demande de respecter des machins aux déficits ? Moi, quand j'étais maire, je foutais la paix aux autres. Chacun son budget !

– Vous allez tomber de haut, mais lorsque l'on dit « Bruxelles » on ne parle pas de la ville.

– Et on ne peut pas rajouter des impôts en douce ? Une taxe verte, c'est bien, ça, ça ferait plaisir à nos amis les écolos, non ?

– On a déjà mis en place une taxe évolutive par tonne de dioxyde de carbone émise.

– Et ça nous rapporte combien ?

– Rien. Pour ne pas froisser les entreprises, on compense ce qu'ils vont nous verser dans le cadre de cette taxe par une baisse de la TIPP.

– La quoi ?

– La taxe sur les produits pétroliers.

– Ben alors, ça sert à quoi ?

– Budgétairement, à rien. C'est une demande politique. Le Premier ministre souhaite que l'on ménage les écolos dont il aura besoin pour les prochaines élections.

– Quand ils sont pas contents, c'est vrai qu'ils savent s'agiter, ces cons, confirme le Don en hochant gravement la tête.

– Ne vous inquiétez pas, Monsieur le Ministre. Je vais faire en sorte que les services trouvent une solution, garantit le Marquis, toujours prêt à nous essorer pour se faire mousser.

– J'ai lu sur votre Internet qu'il était possible de très facilement dégager des économies, alors dégagez-en, nous enjoint le Don.

Lundi 14 septembre

10 h 30

Le Marquis n'a pas menti : pour que nous trouvions une solution, il campe littéralement dans nos bureaux.

– Je veux pouvoir fournir au ministre l'elevator pitch de notre séance de brainstorming dans les plus brefs délais, exige-t-il. Il est très inquiet.

Les séances de masturbation collective que notre directeur de cabinet nous impose sont invariablement précédées d'une préparation pointue qu'il nous délègue. Paul fait la grimace et hèle Coconne pour qu'elle vérifie que la salle de réunion est disponible.

– Je n'ai pas le temps, décrète-t-elle en agitant une bouteille d'eau sous le nez de mon directeur.

– Vous ne pouvez pas à la fois boire et jeter un coup d'œil au planning, c'est ça ?

Coralie lève les yeux au ciel et secoue la tête devant tant d'incompréhension.

– J'essaie de vérifier s'il est vraiment impossible de faire pipi tout en buvant, explique-t-elle en partant vers les toilettes. C'est scientifique, il paraît.

– Pendant que l'illuminée qui vous sert d'assistante fait avancer la science, je vous propose de nous réunir pour organiser le concours Lépine de l'économie...

– Mettons en branle la belle machine de l'inconti-
nence législative !

– On part sur 1 % de croissance pour les simulations ?
demande Amstrad.

– 0.8. Mieux vaut se fonder sur des prévisions basses
pour permettre ensuite à notre guignol de parader dans
la presse si le taux se révèle finalement un poil plus
haut que prévu, conseille Paul.

– On n'a qu'à lui refiler les mesures que l'ancien
ministre n'avait pas acceptées.

– La taxe sur les sodas light est déjà passée, remarque
Amstrad.

– Mais pas celle sur les boissons énergisantes.

– Vous parlez d'une marge de manœuvre...

– Si on impose une taxe sur les vins et les alcools, les
viticulteurs vont gueuler.

– Il faudrait instaurer des mesures visant à l'amélioration de la santé publique, affirme le Marquis.

– Une Fat Tax, comme au Danemark ?

– Les taxes comportementales n'ont pas d'efficacité,
intervient Amstrad. Le Danemark l'a supprimée un an
plus tard. Les gens n'arrêtent pas d'acheter du beurre
parce qu'il est plus cher. Ils l'achètent dans des magasins
discount, c'est tout.

Le Marquis ne prend même pas la peine de paraître
vexé, mais nous gratifie d'un sublime « voilà, c'est exactement ça ».

– De toute façon, si on augmente les impôts, les gens
vont râler. Si on exige une baisse des dépenses publiques,
les élus vont râler. Alors, on leur bricole un projet de
taxe suffisamment complexe pour être abandonné rapidement et, pour le moment, on se concentre sur la loi
de finances.

C'est ce qu'on appelle une réforme à la française.

Samedi 19 septembre

14 h 20

J'agite une main enthousiaste à chaque passage de mes héritiers qui, juchés sur un poney, n'en peuvent plus de bonheur, quand mon portable sonne.

Ma sœur.

Sans même me dire bonjour, Élise m'informe qu'elle vient de m'appeler sur le fixe et que ça ne répondait pas.

— Je suis au jardin du Luxembourg avec les enfants.

— Vraiment ? s'étrangle-t-elle de surprise.

Ma sœur semble toujours épatée que je sorte avec les enfants sans garde rapprochée. Depuis que je lui ai avoué qu'avant leurs deux ans il arrivait régulièrement qu'un des enfants dorme dans notre lit — Élise ignore apparemment tout de la capacité pulmonaire d'un bébé la nuit —, elle s'est convaincue que je passe un week-end sur deux vautrée devant la télé avec les jumeaux, des cartons de pizza froide à nos pieds pas lavés.

— Maman t'a donné des nouvelles ?

— Il y a une semaine, oui.

— Qu'est-ce qu'elle voulait ? demande ma sœur d'un ton agressif et plein de rancœur.

— Savoir si tout allait bien.

— Et pourquoi elle t'appelle toi et pas moi ? s'insurge ma sœur, jamais avare d'une petite crise de susceptibilité.

Sans doute en a-t-elle assez de s'entendre dire qu'elle est irresponsable d'avoir abandonné sa famille pour aller courir le guilledou ?

– Elle te téléphonera sans doute à son retour de Grèce.

– Mais qu'est-ce qu'elle a besoin d'aller en Grèce à son âge ? s'étrangle Élise qui, depuis son voyage de noces – dix jours dans un All Inclusive espagnol –, n'a plus franchi nos frontières. Tu ne trouves pas ça honteux ?

– Non.

– Et pendant ce temps, qui s'occupe de Papa ?

– Ben, il est assez grand pour s'occuper de lui, non ?

14 h 55

– Fixe sur portable, ça coûte cher. Rappelle-moi ! m'intime la voix furibonde de mon père.

Je lève un pouce enthousiaste à Arthur qui abat des ennemis grâce à son épée imaginaire et je rappelle son grand-père :

– Ta sœur vient de me téléphoner pour me dire que ta mère était en Grèce. C'est toi qui lui mets ces idées d'indépendance dans la tête, c'est ça ?

Mardi 22 septembre

14 h 50

– Tout le monde en salle de réunion dans cinq minutes ! s'époumone Paul.

À l'approche du bouclage du budget, une ambiance survoltée s'installe. Je récupère mes dossiers, avale le fond de mon gobelet de café froid, attrape mon téléphone et me fais coincer par Coconne.

Le flot de paroles qui s'échappe de mon assistante m'apprend qu'elle doit absolument partir maintenant récupérer son fils parce que l'activité périscolaire de quinze heures a été annulée. Elle va le déposer chez une copine puis revenir. Je peux comprendre, moi qui ai des enfants et suis une femme évoluant dans un monde dirigé par des hommes. C'est évidemment exceptionnel et elle rattrapera sans faute sa demi-heure.

Si je me risquais à protester que, depuis sept mois que Coralie est en poste, elle a fait jouer la solidarité féminine trois fois par semaine sans rattraper la moindre minute, je serais quitte pour un bon quart d'heure de jérémiades et une réputation de harpie carriériste. Donc, comme d'habitude, je hoche une tête compatissante tout en me collant intérieurement des baffes.

— En revanche, j'aurais besoin que vous restiez jusqu'à vingt heures trente, nous devons apporter des modifications au PLF, il y a des documents à faire photocopier.

— Au quoi ?

— Projet de loi de finances, vous savez, le truc sur lequel nous bossons depuis votre arrivée.

— Ah, oui, je vois, rétorque-t-elle d'un ton qui ne laisse place à aucun doute : Coconne ne voit rien du tout. Impossible, continue-t-elle en enfilant sa veste, je participe à une marche exploratoire cette nuit à Paris.

— Une quoi ?

— Je vais me promener dans la rue pour réfléchir à ce qui provoque mon sentiment d'insécurité.

— J'ignorais totalement que vous aviez peur. Il fallait m'en parler, je me serais débrouillée pour vous faire réserver un taxi quand vous sortez un peu plus tard que d'habitude.

– Ben, pourquoi voulez-vous que j'aie peur, d'abord ? Qu'est-ce que vous voulez qui m'arrive ? rétorque ma Coconne avant de soupirer que plus personne ne la siffle dans la rue et qu'elle le vit mal. J'ai beaucoup plus la trouille quand je reste ici après dix-neuf heures.

Je ne peux pas lui donner tort : Bercy, la nuit, c'est un peu *Shining*.

– Attendez, j'ai tout noté sur un papier, enchaîne-t-elle en sortant de sa poche une feuille constellée de taches de gras qu'elle se met à lire : alors, « vous pouvez penser que l'espace public est mixte mais l'espace urbain... » C'est quoi, « urbain » ?

– De la ville.

– Bref, cet espace de la ville a été pensé par et pour les hommes. Pire, il leur appartient, développe-t-elle d'un ton péremptoire directement importé du bureau d'Herr Kaiser.

– Vous m'en direz tant.

– Les femmes le traversent mais ne stationnent pas. Vous savez pourquoi ?

– Elles doivent rentrer chez elles préparer le repas familial avant de faire le ménage pendant que leur mari lit le journal ?

– Pas du tout, répond-elle en remettant le papier dans sa poche. Elles s'y sentent moins à l'aise. En 2011, selon l'Insee, 1,9 % des femmes ont déclaré avoir subi une agression physique dans la rue.

– C'est sur votre papier, ça ?

– Ben non.

– Comment cela se fait-il que vous arriviez à retenir ça, alors que le service informatique doit intervenir en catastrophe trois fois par semaine pour démarrer votre ordinateur verrouillé par un code de quatre chiffres ?

– Le féminisme, ça me motive.

19 h 15

– Je voudrais faire photocopier le pré-projet. Où est votre assistante ? s'enquiert Paul, pendant qu'Amstrad, les yeux rivés sur son écran, tape comme un perdu.

– Elle est allée repousser les murs invisibles de l'espace urbain, mais revient dans une demi-heure.

Mon directeur prend une grande inspiration avant de pianoter sur son bureau d'un geste nerveux.

– J'avais pourtant demandé à Vivianne d'arrêter de faire du prosélytisme avec elle. Vous ne trouvez pas ça ridicule ?

– Le harcèlement de rue est un fait avéré. Est-ce que je trouve louable de se pencher sur ce problème ? Oui. Est-ce que je pense qu'une marche exploratoire va changer quelque chose ? Non, mais ne comptez pas sur moi pour empêcher Coralie de s'y rendre.

3 h 15

– Si on planque un bout de notre dette dans cet organisme, on est bons.

Amstrad se tortille sur son siège, toujours réticent à valider les tours de passe-passe budgétaire.

– Maquiller les comptes publics ne devrait pas être une option, marmonne-t-il.

– N'exagérons rien, tempère Paul. Un peu de sous-budgétisation n'a jamais tué un pays.

– Mais la Cour des comptes…

– Eh bien, allez-y à la Cour des comptes. Ces gens ne vivent pas dans la vraie vie. Laissez-les une journée avec notre dingo et ils deviendront des pros des acro-baties budgétaires. Vous préferez que l'on n'ait rien à présenter au ministre demain matin, c'est ça ? De toute façon, on n'a pas le choix.

Amstrad encaisse le coup.

– Et la Commission européenne ? demande-t-il avant de commencer à égrener d'une voix monocorde la lita-nie des sanctions dont la France est menacée avec autant d'émotion que si c'était lui qui risquait l'interdit ban-caire.

Je soupçonne la Commission d'être dans une expec-tative amusée vis-à-vis de nos projets de budget. Il est tout simplement impossible que les experts européens puissent raisonnablement croire que oui, nous allons respecter les fameux 3 % de déficit maximum prévus par les critères de Maastricht.

Mercredi 23 septembre

6 h 45

Je tâtonne pour attraper mon téléphone et appuie frénétiquement sur l'écran pour couper la sonnerie. J'avale deux comprimés d'Ibuprofène et me traîne aux toilettes de l'étage.

J'en ressors dix minutes plus tard à peine moins endormie, ferme mon bureau et cherche mon tailleur du regard.

La vie est une lente désillusion : à cinq ans, mon fils est convaincu de pouvoir sauver le monde en enfilant un costume en latex bariolé. À près de quarante, je sais pertinemment qu'en enfilant un tailleur je ne vais rien sauver du tout et que le monde pourrait fort bien se passer de moi. La réalité me frappe de plein fouet, la sinistre vérité s'impose, inéluctable : je ne suis pas indispensable.

Une fois cette vérité posée, il faut composer avec.

Finalement, c'est peut-être ça, devenir adulte.

Sauf que, pour le moment, le tailleur, je le cherche et ne le trouve pas. La question est de savoir où je l'ai posé hier midi en rentrant du pressing.

En rentrant du pressing.

Le pressing.

Je savais bien que j'avais oublié quelque chose.

Le tailleur que je suis censée porter ce matin pour la présentation sur laquelle j'ai passé les vingt-quatre dernières heures à travailler est actuellement sous une housse en plastique au pressing. Qui ouvre à dix heures.

Je cavale dans le couloir et retrouve mes collègues en salle de réunion, hypnotisés par la contemplation de leurs verres d'eau dans lesquels se dissolvent des comprimés de Guronsan.

– J'aurais besoin d'une chemise et d'une veste.

– J'ai ça dans mon bureau, m'annonce une stagiaire.

– Quelle taille ?

– Trente-quatre.

Génial ! Je vais avoir l'air de Kim Kardashian déguisée en secrétaire lubrique.

7 h 45

J'arrive à la photocopieuse en tirant sur la chemise prêtée par la stagiaire et tombe sur le Marquis affairé à recharger la machine avec l'exact nombre de feuilles dont il a besoin.

– J'ai bien reçu le PowerPoint de présentation de la loi de finances et souhaitais en discuter avec l'équipe. La demande vient d'en haut, ajoute-t-il en arborant un sourire énigmatique laissant sous-entendre qu'il est dans le secret des dieux.

Comme si le Don avait jeté un coup d'œil au document !

– Ah.

– Je ne vais pas faire durer le suspense plus longtemps : ce que vous avez fait n'est pas du tout ce que j'avais en tête.

Notre dir' cab a le chic pour changer une consigne aussi vite que son ombre. Travailler avec lui nécessite de partir du principe que, quoi que l'on fasse, cela n'ira jamais.

Je ne suis même pas encore assise qu'il me reproche immédiatement de ne pas avoir inséré des images afin de rendre le document « user friendly ».

– Des diagrammes ? Mais il y en a plusieurs.

Le Marquis soupire. J'ai inséré des diagrammes, mais à partir d'Excel. Alors qu'il serait bien incapable de le lancer sur son PC, il n'en démord pas : ce logiciel ne convient pas du tout.

Un peu d'imagination, sortons des sentiers battus ! Son rôle est aussi de pousser les services à donner le meilleur d'eux-mêmes, non ?

Étant donné que lui n'a pas donné grand-chose depuis son arrivée, je suis à deux doigts de lui donner raison.

– Enfin, soupire-t-il. Ça devrait aller pour la présentation en Conseil des ministres de tout à l'heure.

Je n'ai pas atteint mon bureau que Paul bat le rappel.

— Si jamais le ministre des Transports appelle pour avoir des infos sur son budget avant dix heures, personne ne dit rien. Il n'est pas au courant qu'on lui a piqué 50 millions hier, donc ne gaffez pas. Et briefez vos assistantes. Sauf vous, Zoé. Ne lui en parlez même pas.

— Quand même… un budget ministériel amputé de 50 millions d'euros comme ça… et les secrétaires sont au courant avant le ministre. Je trouve ça moyen !

— C'est sûr que ça donne à réfléchir sur leur pouvoir réel.

9 h 30

Les ministres se pressent dans la cour de l'Élysée. Le Don adresse des sourires carnassiers aux journalistes et prend la pose.

— Pourvu qu'il ne dise pas de conneries, supplie Paul pendant qu'Amstrad se ronge les ongles.

Nous nous installons devant la télévision pour l'entendre expliquer que ses services formidables et si dévoués ont bâti un plan d'économies remarquable.

De l'inédit, en somme.

Le Don continue de se répandre sur ce texte incroyablement bien ficelé qui fera, certes, grincer quelques dents, mais il serait temps que certains réalisent qu'au-delà des sondages de popularité, il y a une population qui souffre. Mais lui comprend leur souffrance et promet de diminuer de manière considérable les imp… non, d'amplifier la diminution des prélève…, de diviser par deux le montant de l'imp…

— Non, non, non, psalmodie Paul les mains jointes pendant qu'Amstrad se déchire les cuticules à coups d'incisives.

Avant que le Don ne fasse une gaffe, l'Arlésien s'approche de lui en lui donnant du « mon cher collègue » dégoulinant de condescendance et l'entraîne à l'intérieur.

Loin des caméras.

13 h 30

– Ça n'est pas étonnant que Monsieur le Ministre n'ait pas donné le meilleur de lui-même, répète le Marquis en boucle. Comment voulez-vous qu'avec ce que vous m'avez fourni, il fasse des miracles ! Il faut réorganiser tes services, Paul.

La philosophie de notre dir' cab est simple : si un dossier est couronné de succès, c'est grâce à lui. Si le dossier déplaît, c'est la faute des autres, et comme il est incapable de désigner un fautif, il sort son joker : il faut réformer !

– C'était une connerie, reconnaît Paul. On l'a surestimé, on ne peut pas lui demander d'improviser. Il faut que tout soit écrit, noir sur blanc. Tout ! Pour la présentation à l'Assemblée, il va falloir sacrément l'entraîner...

17 h 50

Leçon du jour : à la poste, un guichet « momentanément fermé » ne l'est jamais pour cinq minutes.

La postière n'est pas partie temporairement, elle s'est vraiment barrée !

Les dix-huit personnes qui poireautent devant moi seront toutes servies par la quinquagénaire maussade occupée pour le moment à critiquer la calligraphie de la jeune punk désireuse d'envoyer une lettre recommandée.

– Maman, je m'ennuie.

– Je sais, chérie, mais c'est bientôt notre tour.

– Tu vas doubler tous les gens devant ? demande-t-elle, pleine d'espoir.

– Non, mais ça va passer vite.

– Mais je m'ennuuuuuuuuiiiiiieeeee, commence-t-elle à chantonner pendant que son frère s'adonne à des bruitages de camions de plus en plus sonores.

Je tente de me composer un air nonchalant pendant qu'un certain agacement gagne la file d'attente.

Une dame me tapote l'épaule :

– Il va tomber, là, non ? m'informe-t-elle en désignant Arthur qui, un pied sur chaque camion, essaie de faire du patin à roulettes.

– Probablement, mais pas de très haut.

– Mamaaaaaan, quand c'est qu'on rentre à la maison ? poursuit Emma. Si c'était pour qu'on s'ennuie, ce n'était pas la peine de venir nous chercher. On aurait pu passer le reste de la semaine chez Papa.

– C'est fou comme tout petits, certains enfants ont déjà du caractère, remarque ma voisine d'un air pincé.

Quinze personnes.

Après tout, le compte rendu de la réunion de copropriété peut bien retourner à l'expéditeur.

Lundi 28 septembre

14 h 30

Ayant confié à Coconne une note de trois pages à reprographier, c'est fort logiquement que je la retrouve à la photocopieuse en train d'en imprimer dix.

– Je ne comprends pas, m'accueille-t-elle.

– Quelle surprise, maugrée Amstrad en récupérant ses documents.

Je choisis une voix tombée du ciel pour demander :

– Qu'est-ce que vous ne comprenez pas ?

– Sur la feuille, il y a marqué « Amendement ». C'est quoi ?

– La modification d'une loi. Ou d'un projet de loi.

– C'est réducteur ! Précisez au moins que la Constitution prévoit que le droit d'amendement est réservé aux membres du Parlement et au gouvernement, s'insurge Amstrad, avant d'aviser le regard vitreux de mon assistante et d'être coupé net dans son élan.

– Et vous, à Bercy, vous pouvez changer la loi ? demande-t-elle.

– Disons que si on demande gentiment à un parlementaire de lire la fiche qu'on lui a préparée, nous pouvons modifier la loi via un amendement technique lorsqu'elle ne nous plaît pas.

Coconne hoche la tête avec gravité devant tant de pouvoir.

– Je peux vous poser une autre question ? s'enhardit-elle.

– Ça me semble inévitable.

– Voilà, sur votre tableau, quand on prend les chiffres horizontalement de haut en bas...

– Verticalement.

– Verticalement, c'est pas de gauche à droite ? s'étonne Coralie.

Je savais que ce cours de préparation à l'accouchement avec la respiration par le ventre finirait par me servir.

– Donc, les chiffres...

– Je comprends pas pourquoi ils sont tous négatifs.

– Êtes-vous en train de me dire que vous ignorez que la France est endettée ? s'étouffe Amstrad.

– Je suis arrivée il y a sept mois, je peux pas tout savoir ! rétorque-t-elle, avant de tourner les talons.

16 h 00

Le Don vocalise dans une salle juste avant la présentation de la loi de finances. Un spectacle parfaitement réglé où chaque participant joue la même partition depuis des années. Ayant acté que le Don allait se faire massacrer lors des auditions par les parlementaires, Paul a réuni toute la troupe afin de roder notre percheron à l'exercice.

Qui entre en grognant, furieux d'être relégué en ligue 2 de la politique et ruminant sa déception de voir son ministre de tutelle se charger de la présentation à l'Assemblée.

– Il tire la couverture à lui, je suis secrétaire d'État au Budget ! Ce projet de loi de finances est *mon* bébé ! Je suis parfaitement capable de dire que ce vote est l'un des moments les plus importants et les plus solennels de la vie politique ! Attendez, exige-t-il avant de farfouiller dans ses poches et d'en extirper un bout de papier froissé... de la vie politique et démocratique, reprend-il, le nez collé sur son papelard. Le budget, disais-je, est le moment des choix, le moment des actes, le moment où nous disons nos priorités pour le pays. Vous voyez, je suis parfaitement capable d'assurer la présentation.

— Mais vous l'assurerez, garantit le Marquis, plus doucereux que jamais. Devant les commissions des finances. Et à plusieurs reprises.

— Et, précise Herr Kaiser, ce sera filmé et retransmis sur plusieurs chaînes.

Le Don grommelle, puis lâche avec aigreur .

— Pour passer sur de fausses chaînes de télé, merci bien !

Herr Kaiser lève rapidement les yeux au ciel, avant de se reprendre et d'abattre son dernier atout :

— Détrompez-vous, vous allez être amené à répondre à des interviews.

— C'est vrai ? demande le Don, plein d'espoir, pendant que le Marquis hoche la tête avec frénésie. Bon, dans ce cas, je veux bien que nous commencions la préparation.

— Zoé, tu fais Claire Chazal. Paul, tu es en retard, tu seras Pujadas, annonce notre communicante.

— Claire Chazal et David Pujadas à l'Assemblée nationale ? s'étonne-t-il.

— Nous préparons Monsieur le Ministre aux interviews qui ne manqueront pas de succéder aux auditions parlementaires, réplique Herr Kaiser en désignant une chaise d'un index impérieux.

— Quand on voit ce qu'on débourse en coaching et qu'en plus il faut se taper les répétitions..., marmonne notre directeur, immédiatement foudroyé du regard par sa femme.

– On y va, maintenant, feule-t-elle.

Le front plissé à la recherche du sacrifice qui redonnerait le sourire à Herr Kaiser, Paul réfléchit et se lance :

– Monsieur le Ministre, comment comptez-vous préserver la qualité du service rendu au public en supprimant autant de postes de fonctionnaires ?

Le Don lui lance un regard vide et se tourne vers Herr Kaiser :

– Ça n'est pas dans mes fiches.

– Grâce à la modernisation des procédures, souffle le Marquis. Monsieur le Ministre, vous savez bien : « Après les présidentielles, nous avons été confrontés à une dette abyssale, un déficit incommensurable et une croissance en berne... »

– Ah, oui, c'est vrai. Bon, si un tordu de journaliste me pose une question piège, je réponds quoi ?

Nos trois réponses fusent :

– « Je n'ai pas vocation à commenter. »

– « Je connais évidemment les chiffres mais ne vous les donnerai qu'au moment opportun. »

– « À ma connaissance, ce n'est pas d'actualité. »

– Et je pense conclure par la diminution des impôts grâce au Haut Conseil à...

– Non !

– L'augmentation de leur diminution, alors ?

– NON !

19 h 30

Trois heures plus tard, nous sortons lessivés de ce coaching intensif. Je récupère le dossier des questions-réponses oublié sur la table et repars vers le bureau du Don. Je m'approche et, par la porte entrouverte, l'aperçois en train d'expliquer à ses parapheurs qu'il est honoré de prendre ce poste de ministre de l'Intérieur après avoir occupé les si importantes fonctions de secrétaire d'État au budget. Je me demande si, par hasard, on ne se focalisait pas sur le mauvais problème.

Nous avions survécu à la présentation en Conseil des ministres de la loi de finances qui, comme tous les ans, après cinq semaines de transit à l'Assemblée nationale et trois autres au Sénat, finirait par être votée. Le Conseil constitutionnel sabrerait quelques articles pour notre plus grande joie et tout recommencerait dès janvier.

– Coralie, pouvez-vous faire un compte rendu à partir des notes et me l'envoyer ? Merci.

– Honnêtement, prendre des notes en réunion, ça n'a jamais été mon point fort, concède mon assistante de choc.

– Un jour, Coralie, il faudra vraiment que vous me disiez quel est ce fameux point fort qui ne fait jamais partie de ce que je vous demande...

Octobre

Flight of Icarus

« Les conneries, c'est comme les impôts, on finit toujours par les payer. »

Michel Audiard,
C'est pas parce qu'on n'a rien à dire qu'il faut fermer sa gueule.

Lundi 5 octobre

14 h 30

— Il paraît que vous êtes très occupée et que vous avez besoin d'être tranquille, annonce Coconne en soufflant sur son café.

— Effectivement.

— Du coup, je me suis dit que j'allais passer vous faire un petit coucou.

Il ne manquait plus que ça !

Le concept de « petit coucou » n'existe pas dans le monde merveilleux de Coconne et, à peine assise, elle commence à égrener son chapelet de misères et de ragots.

Apparemment, mon assistante de choc s'est découvert une vocation de globe-trotter et ramène de chaque pays une nouvelle lubie. Elle est revenue du Sénégal prête à se lancer dans le commerce de djambé sur Internet, de Pologne bien décidée à louer une galerie d'art pour commercialiser ses futures toiles, et de Martinique bien résolue à y repartir aux prochaines vacances enseigner le jet-ski.

Sans être capable de faire démarrer un ordinateur, savoir tenir un pinceau, ni nager, cela va de soi.

– Être derrière un bureau nuit à ma créativité et m'empêche de m'épanouir pleinement, vous comprenez ?

Lui faire remarquer qu'elle passe plus de temps à se promener dans les couloirs qu'à son poste de travail étant susceptible de rallonger une conversation déjà pénible, je me contente d'opiner gravement du chef.

Je la comprends parfaitement.

Mieux, je m'associe à sa souffrance. Je suis même prête à acheter le tout premier djambé vendu sur www. coconne.com. Pourvu qu'elle se tire et me laisse finir mon boulot.

– J'ai du mal à travailler en ce moment, m'avoue-t-elle. Ça ne vous arrive jamais à vous ?

– En ce moment, un peu, à vrai dire.

– Je crois que j'ai besoin de faire le point sur ce que j'ai accompli et ce qu'il me reste à réaliser.

– Tout à fait. Plus prosaïquement, je dois finir une note donc si vous pouviez aller faire le point dans votre bureau, je vous en serais fort reconnaissante.

Coconne maugrée que si elle n'a même plus le droit de parler, décidément, elle va partir et on sera bien embêtés sans elle. D'ailleurs, elle avait une question technique à me soumettre, mais devant mon manque de coopération, elle hésite.

– Je vous écoute.

– Vous avez fait une formation en informatique ?

– Il y a longtemps, oui.

– Le tréma sur le « i », on le met comment ?

Jeudi 8 octobre

19 h 45

Je sors de l'ascenseur, ma besace sur l'épaule, une boîte de Playmobil dans une main, un dossier que je n'ouvrirai pas dans l'autre et un sac du traiteur indien coincé entre les dents, lorsque j'aperçois ma sœur assise sur mon paillasson.

Tout tombe ! Je presse ma sœur de questions tout en essayant de ramasser ce qui est à ma portée.

– Papa est mort ?

– Pas à ma connaissance, réplique-t-elle d'un air pincé.

– Maman, alors ?

– Maman est en pleine forme et a décidé de partir apprendre l'anglais à Malte.

– Qu'est-ce qu'il se passe, alors ? Tes enfants vont bien ? Marc aussi ?

– Tout le monde va très bien. J'ai décidé de m'octroyer une soirée agréable avec ma sœur, conclut-elle avant de me fixer d'un œil mauvais.

– D'accord, ben entre.

Ma sœur n'a pas fait trois pas qu'elle se fige, avant de balayer la pièce du regard.

– Bonté divine. Qu'est-ce qu'il s'est passé ici ?

Je jette un regard inquiet à mon salon.

– Rien, pourquoi ?

– Comment peux-tu élever deux enfants dans une telle porcherie ?

– J'ai passé l'aspirateur hier, c'est nickel.

253

– Il y a un filet de ping-pong sur ta table et des jouets sur le canapé.

– Je sais.

Élise ouvre le réfrigérateur, attrape un plat préparé dont elle commence à étudier la composition, avant de le reposer et de foncer se laver les mains à grande eau. Elle se tourne vers moi en tripotant son collier de perles comme s'il s'agissait d'un chapelet susceptible de l'aider à surmonter l'épreuve divine qu'elle s'est infligée.

– Élise. Du calme. J'appelle le livreur de pizzas, les enfants devraient téléphoner d'ici peu et ensuite, on passe une soirée tranquille.

– Je crois que mon fils est bête, avoue-t-elle en se laissant tomber sur le canapé.

– Mais non.

– Il s'est enfoncé l'emballage du Babybel dans le nez. J'ai passé la soirée aux urgences. À son âge, nous n'aurions jamais fait ça.

– À son âge, Papa n'aurait jamais laissé maman acheter du Babybel alors qu'il pouvait avoir un fromage à peine périmé d'un magasin de déstockage. Par ailleurs, je te rappelle que tu lisses les poils de tes tapis à la brosse à ongles, ce qui, d'un point de vue extérieur, peut surprendre.

– J'ai lu tous les livres de psycho que j'ai pu trouver, je lui fais faire pas moins de cinq activités extrascolaires, je passe ma vie à faire le taxi, et lui se bourre les narines de cire alimentaire ! Tu trouves ça normal ?

– Il a six ans et un emploi du temps de ministre, c'est ça que je ne trouve pas normal. C'est quoi, le but ? Faire un burn-out mère-fils avant ses sept ans ?

– Je veux donner à mes enfants toutes les chances de réussir leur vie. Que ma fille ne soit pas obligée de se marier et d'avoir des enfants pour exister. Qu'elle ait un métier, qu'elle soit forte et indépendante, elle.

La sonnerie du téléphone me sauve la mise et je décroche.

– Papa m'a acheté des ceintures d'épaules, m'informe Arthur sans préambule.

– Des bretelles ! précise la voix de leur père en fond sonore.

– Elles sont jaunes avec des Iron Man rouges, c'est trop beau, précise-t-il avant de crier pour appeler sa sœur :

– Ça va Maman, tu t'ennuies pas ? demande-t-elle d'une voix suraiguë.

– Non, Tatie est venue passer la soirée avec moi. Elle vous embrasse tous les deux. Et toi, qu'est-ce que tu fais de beau ?

– On joue avec Papa et Arthur.

– C'est super, ma puce. Et vous jouez à quoi ?

– On fait semblant d'être morts, c'est génial !

Mardi 13 octobre

15 h 45

Back dans le foutoir du cinquième étage.

Paul passe une tête angoissée dans mon bureau.

– Y en a deux à récupérer, je ne sais pas ce qu'il leur a dit, mais ils tirent de ces têtes...

Depuis mon arrivée au ministère, un rituel d'accueil immuable s'est progressivement mis en place à chaque livraison de stagiaires. Après avoir arpenté les couloirs et s'être extasiés sur les petits wagonnets du Télédoc, ils rencontrent Amstrad et ressortent de l'entretien sonnés.

Je suis ensuite chargée de les empêcher de tout plaquer pour devenir aquarellistes à Montmartre.

La fournée d'aujourd'hui comporte trois jeunes étudiants studieux, frais émoulus de la très prisée Prep'ÉNA de Sciences Po-Paris et prêts à me jurer sur le GAJA[1] qu'ils ont deux passions dans la vie : la LOLF et le Code général des impôts.

Le plus hardi d'entre eux parvient à lever les yeux de son bloc-notes suffisamment longtemps pour quémander des conseils sur le Grand O.

Le Grand Oral. *Le* concours de beauté incontournable permettant d'intégrer le saint des saints. Enfin presque. La fonction publique.

Pour avoir l'immense privilège d'avoir accès aux notes du Marquis ou de lire sur Google les promesses que son ministre a faites sans en avertir ses services, ils auront droit, dans quelques semaines, à un « entretien de quarante-cinq minutes permettant d'apprécier la personnalité et les motivations du candidat ».

Il y a véritablement un avant-Grand O et un après-Grand O. Jésus-Christ comme césure historique, c'est de la rigolade à côté.

Avant, le candidat est dans le flou : parce que, comme à Vegas, « ce qui se passe dans la salle du Grand O reste dans la salle du Grand O ».

Ou en sort de manière tellement déformée qu'à part vous faire flipper comme une bête, les infos glanées ne servent pas vraiment.

---

1. Grands arrêts de la jurisprudence administrative.

Ceux qui en ont entendu parler multiplient les anecdotes effroyables et les sentences les plus pessimistes : « Toi, de toute façon, tu passes mal à l'oral » / « Le jour du Grand O, il est arrivé et a dit au jury "Je peux m'assir ?" Et le jury lui a répondu "Vous pouvez sortoir !" » / « Elle est entrée dans la salle, sa jupe était restée coincée dans son collant, elle avait les fesses à l'air », etc.

Le monde est vraiment petit : toutes les personnes de votre entourage connaissent justement un candidat malheureux à un concours.

Ceux qui ont assisté au Grand O se font un plaisir de vous donner leur avis, quand vous n'avez strictement rien demandé.

Parce que les Grands O sont publics.

Généralement, ces bonnes âmes en reviennent l'ego regonflé et se gargarisent à coups de « un vrai massacre, il était incroyablement mauvais, il ne se souvenait même pas du PIB du Bhoutan et du taux d'inflation de l'Ouzbékistan. À se demander comment il a pu passer les écrits. Un coup de pot sans doute ».

Le tout avec un regard condescendant appuye dans votre direction.

Ceux qui ont vaincu l'épreuve n'en parlent que très peu, ou par allusions savamment distillées dans lesquelles ils ont évidemment toujours le beau rôle.

« Je les ai fait rire, tout simplement. »

Le tout dit sur un ton de satisfaction évident.

Je conseille donc aux stagiaires de bachoter non stop pendant les semaines qui viennent sans écouter les tarés qui prétendent que le Grand O ne se révise pas et qu'il faut se vider la tête avant, lorsque Coralie débarque en sautillant.

– Le directeur de cabinet du ministre m'a écrit, annonce-t-elle en se pavanant et en me tendant une feuille.

Puis, devant le regard atterré des étudiants, elle leur demande :

– Vous êtes nouveaux ? Vous voulez que je leur fasse visiter la direction pendant que vous travaillez ?

– On va arrêter le bizutage là, mais merci, Coralie.

Vendredi 16 octobre

11 h 55

– Je n'arrive pas à le croire, m'annonce Paul.

– À croire quoi ?

– Que votre secrétaire qui, neuf fois sur dix, est incapable de retrouver son bureau, voire, les grands jours, son bâtiment, ait réussi à trouver *le* décret qu'on ne voulait pas sortir avant janvier.

Quand nous sentons que le déficit de l'année va être explosé, nous avons pour habitude de bloquer le texte d'application de la loi qui va encore plus le creuser. Bercy, c'est plus de quarante kilomètres de couloirs, donc perdre un décret n'est pas improbable.

– Coralie est une personne pleine de ressources. Souvent cachées, je vous l'accorde, mais elle n'est pas au courant des petites combines de Bercy.

– Vous vous débrouillez comme vous voulez, mais je vous charge officieusement de re-perdre ce décret le plus rapidement possible, râle notre directeur. Parce que figurez-vous que je dois aller m'extasier sur des croûtes que...

— Évidemment, dès que ça sort du conventionnel, ça ne convient pas à Monsieur, rétorque Herr Kaiser qui vient d'apparaître derrière lui. Tu ne comprends pas parce que c'est différent, reprend-elle.

— Différent de quoi ? De l'art ? Du beau ? Au dernier vernissage, l'autre escroc avait collé un bout de ficelle blanc sur une toile barbouillée en noir et avait baptisé ça : « Apartheid. »

— J'ai trouvé ça intéressant.

— Et l'autre truffe de nous expliquer que la ficelle représente la division et la lutte entre les populations noires et les propriétaires esclavagistes blancs. Et d'insister en disant qu'il a mis une ficelle en coton pour rappeler les champs de coton sud-africains. Il n'y a JAMAIS eu de culture du coton en Afrique du Sud !

Mardi 20 octobre

11 h 45

— Où est de Montmaur ? On ne peut pas commencer sans lui, s'impatiente Paul, alors qu'installés en salle de réunion nous cherchons des idées pour calmer les médias, au taquet après l'annonce de l'apparition d'une nouvelle taxe sur les ventes de moins de cinq euros sur le Net.

Depuis près d'une semaine, notre dir' cab bosse à plein temps sur la problématique cérémonie des vœux, ou comment faire croire qu'au gouvernement on se serre aussi la ceinture.

Une idée à la con, aussi appelée « politique d'affichage » par les adeptes de l'euphémisme, naît toujours de la prise de conscience soudaine d'une situation qui, à en croire l'affolement des Têtes Pensantes, leur tombe dessus sans crier gare.

Un matin, les boîtes débordent de mails labellisés « Urgent ! », les téléphones n'en peuvent plus de sonner, le Marquis lance des doodle comme un perdu et les assistantes courent dans les couloirs agenda sous le bras – sauf Coralie, qui fonce à la machine à café parce que « vous comprenez, pour une fois que j'ai une chance d'avoir un cappuccino avec la bonne dose de lait, je ne peux pas laisser passer ça ».

Bref, Hiroshima au cinquième étage.

Nous arrivons ventre à terre en réunion pour trouver les directeurs et le Cabinet dans son ensemble, visages déformés par l'angoisse, le teint encore plus gris que d'habitude.

Paul nous annonce, la voix altérée par l'émotion, que l'heure est grave. Les caisses de l'État sont vides, la dette explose, Bruxelles va nous couper les robinets, nous serons la honte de l'Europe.

Une vague de soulagement parcourt l'assemblée. On avait tous pensé que quelque chose de grave s'était produit. Les plus hardis s'enhardissent à rétorquer un « c'est tout ? » blasé.

Nous repartons en petits groupes, guidés par Paul qui nous happe dans son bureau pour « un braindump et surtout, ne vous censurez pas ».

Il règle son dictaphone afin de recueillir notre feu d'artifice créatif : instruction fiscale, suppression d'une niche, décret réduisant le nombre de bénéficiaires de telle allocation... on assiste à une surenchère de mesures toutes plus osées les unes que les autres.

Invariablement, alors que ce pensum pourrait, contre toute attente, se révéler productif et aboutir à de réelles économies, il est interrompu par l'arrivée du Marquis.

– On va remplacer les petits-fours par des cacahuètes. Voilà une mesure populaire, économique, tout simplement parfaite, conclut-il en rayonnant de bonheur à l'idée de captiver tout le gratin journalistique pour lui faire part de cette idée solaire.

Le pire ?

Herr Kaiser refusera d'innombrables sollicitations des journaux les plus prisés, paradera dans les rédactions et s'affichera dans les coulisses des principaux JT, pendant que le Don expliquera avec conviction que la baisse des dépenses publiques est enfin en marche.

Ah, l'homme politique, cet être merveilleux, convaincu de récolter mille louanges lorsqu'il explique que remplacer le champagne par du cidre va permettre aux caisses de l'État de se re-remplir fissa.

Le même qui demandera à son chauffeur de l'emmener au Palais-Bourbon défendre la création d'une niche fiscale à plusieurs millions.

– Il arrivera plus tard, on peut se passer de lui, décide Herr Kaiser.

– Je préférerais que le secrétaire d'État évite tout contact non cadré avec la presse, reprend notre directeur, instruit par l'expérience.

– Impossible. J'ai besoin d'une action groupée.

Quand les déficits explosent, que les impôts ne rentrent pas et que l'on piétine allégrement le calendrier de retour à l'équilibre des comptes, on n'a plus le choix.

Il faut agir.

Mettre en application le programme de réformes annoncé lors de la campagne électorale ?

Pas du tout.

Quand c'est la Bérézina, on fait défiler un à un tous les membres du gouvernement qui, à la radio, à la télé et dans les journaux, répéteront le discours d'Herr Kaiser, spécialiste ès phrases chic et choc.

– Quel est le message à faire passer ?

– Les impôts rentrent mal, il nous manque plusieurs milliards de recettes.

– Vous dites ça pour me faire peur, réplique le Don.

Paul calibre sa voix pour qu'elle atteigne le niveau « suavité requise pour s'adresser à un ministre ».

– La consommation est en berne, dit-il en détachant ses mots comme s'il parlait à un débile, donc les recettes de la TVA, qui est un impôt assis sur la consommation et qui constitue notre première ressource financière, ne rentrent pas. C'est mathématique.

– C'est un problème ?

Notre directeur ferme les yeux, joint ses doigts dans une prière au dieu du Budget.

– Ne pas avoir d'argent ? Pensez-vous. Bruxelles sera ra-vi de voir que les déficits ne se réduisent pas.

Herr Kaiser tapote nerveusement son stylo sur son bloc-notes et annonce :

– Je vous propose : « L'évolution globale des recettes fiscales nettes semble présenter un aléa baissier. » Et, pour vous dédouaner, on ajoute : « L'ancienne équipe n'a pas pris les mesures nécessaires que nous devons compenser aujourd'hui. »

Paul hoche la tête avec enthousiasme et rajoute :

– Il faut les enfumer sur le déficit structurel.

– Exact, enchaîne Herr Kaiser. À partir de maintenant, vous ne parlez plus de « zéro déficit », mais de « déficit structurel ».

– Il y a une différence ? s'enquiert le Don.

– Le zéro déficit, c'est le déficit nominal.

– Le quoi ?

– Le déficit classique, si vous préférez.

Le regard vide que lui renvoie le Don semble indiquer qu'il n'a pas de préférence.

– Le déficit structurel, c'est le calcul du déficit sans prendre en compte les effets de la conjoncture, explique patiemment notre directeur. On ne comptabilise pas les dépenses entraînées par la crise, par exemple les prestations sociales liées au chômage. Comme elles explosent depuis le début de la crise, il est bien plus facile de limiter les dégâts sur le déficit structurel que sur le déficit nominal.

Le Don arbore un air de débile léger.

– Ouais, ouais, écrivez-moi ça tout bien et je me débrouillerai. À quelle heure est mon rendez-vous avec la journaliste ?

Samedi 24 octobre

15 h 30

– C'est bientôt le gâteau ? demande Louis pour la quatrième fois depuis mon arrivée chez ma sœur.

– D'ici une demi-heure.

– C'est dans longtemps, ça, une demi-heure ?

– Non, va jouer, on t'appellera.

Hors anniversaire, ma sœur considère tout aliment chocolaté comme un dérivé de drogue dure. Autant dire que mon neveu attend son anniversaire avec une excitation sans borne pour s'enfiler son quota annuel de sucre en toute légitimité.

– Je crois que j'ai raté ma vie, m'annonce Élise d'une voix humide.

– Tu dis ça parce que le copain de Louis a renversé sa grenadine sur ton nouveau canapé ? Si tu places un coussin sur la tache, elle ne se verra plus.

– J'ai toujours cru en mon for intérieur que je voulais faire comme Maman.

– De la danse en toge dans les champs ?

– Être à la maison, m'occuper de ma famille... Mais ça ne me suffit pas, ça ne me suffit plus. Ça suffit ! se met-elle à crier. Tous ces petits cons qui cavalent partout, je ne les supporte plus.

– Mais... enfin, je croyais que tu aimais les enfants ?

– J'aime *mes* enfants. Pas ceux des autres. Suis-je un monstre ?

– Avoir invité vingt-quatre gamins à une fête d'anniversaire te vaudrait d'être canonisée si j'avais mon mot à dire.

– Reste à les rendre vivants à leurs parents.

– Bah, ils sont encore petits. Si ça se trouve, ils ne s'y sont pas encore trop attachés...

– Marc dit que j'exagère de me plaindre de ma vie et de vouloir plus.

– C'est normal, mets-toi à sa place. Depuis huit ans, tu gères absolument tout, la maison, les enfants, la cuisine, l'organisation des vacances, la révision des quinze mille kilomètres... Et Marc a intégré d'autant plus facilement que c'était ta place puisque toutes les femmes de sa famille l'ont occupée avant toi. Et d'un coup, tu lui expliques que tu ne veux plus y rester, à cette place si rassurante pour lui. Bilan : il a peur.

— Toi, tu concilies ta vie de mère avec ta carrière et… tes enfants vont très bien, poursuit Élise, une nuance de regret dans la voix. Tu as une carrière, répète-t-elle avec envie. Tu es utile, importante. Des gens t'écoutent lorsque tu diriges une réunion.

Ils font semblant, tout au moins. Mais j'ai tellement envie de correspondre à ce portrait de la working mum idéale, sanglée dans son tailleur Chanel, juchée sur des Louboutin et se faisant applaudir en réunion telle que ma sœur me voit, que je ne relève pas.

— De toute façon, ce ne sont pas les enfants qui posent problème, reprend-elle. Ce sont les adultes. Non, mais tu les entends avec leur « Qu'est-ce que vous faites dans la vie ? » ? Que veux-tu que je leur réponde ? Que la naissance de mes enfants a été l'occasion de passer une thèse en physique nucléaire pour obtenir un boulot à la NASA ? Ou que ma vie est un échec et que seule une consommation délirante de Prozac m'empêche de me sectionner les veines avec la lame hachoir de mon KitchenAid ? Tu aurais vu l'air soulagé du crétin qui m'a posé la question à un cocktail organisé par la boîte quand il a appris que j'étais la femme de Marc. Mon existence n'était pas complètement vaine puisque je cuisine trois repas équilibrés par jour à son patron et à notre progéniture…

— Cette fête est fantastique ! intervient la voisine de ma sœur en venant s'asseoir sur la balancelle avec nous. Quand je pense que tu as tout fait toute seule…

— Lorsque j'ai vu que le prix d'un gros naze qui gonfle des ballons pour leur donner la forme d'un pénis coûtait le prix du Balenciaga que je vais finir par m'offrir, je n'ai pas hésité, rétorque ma sœur.

Son interlocutrice accuse le coup et se tourne vers moi :

– Et vous êtes ?

– La sœur d'Élise.

– Je suis Marie, sa voisine.

Elle avise sa fille et la mienne, occupées à construire « un château de princesse » comme est venue me le préciser Emma.

Dix minutes plus tard, j'apprends que ma fille fait des pâtés. Ratés, du reste, mais que la fille de Marie, une certaine Constance, fait preuve d'une rare précocité en créant une œuvre d'art sableuse.

– Elle est extraordinairement douée, nous envisageons la méthode Montessori pour qu'elle exprime tout son potentiel, m'explique-t-elle avant d'observer une minute de silence destinée à visualiser Constance en train de recevoir son diplôme de l'X avec les félicitations du jury.

– Et vous ? enchaîne-t-elle.

– Moi ?

– Vous êtes sur Paris, je crois. Quelle école primaire visez-vous pour vos jumeaux ? La carte scolaire est une aberration, soupire-t-elle avec un sourire condescendant qui me donne envie de lui faire bouffer le pâté de sable de la polytechnicienne.

– Leur père et moi avons opté pour l'école du quartier. Elle est en bas de la rue, c'est pratique.

– L'école du quartier ? ! Non ! Soyons sérieux, l'école du quartier, c'est parfait pour la maternelle. Une de mes amies raisonnait comme vous et a dû retirer son fils au bout de trois semaines de CP : pendant le temps médian, les enfants n'étaient pas suffisamment stimulés.

À mon époque, le temps médian s'appelait bêtement la récréation et on jouait avec des pneus dans la cour.

– Constance, *please, don't do that,* intime-t-elle avant d'expliquer : Nous tenons à ce qu'elle soit parfaitement bilingue.

– Mais vous ne trouvez pas que l'anglais est devenu trop commun ? intervient Élise. Ma nièce et mon neveu apprennent le mandarin, c'est tellement plus porteur sur un CV.

Emma arrive en courant.

– Tu viens dire *ni hao,* chérie ? demande Élise.

Ma fille fronce les sourcils et se tourne vers moi :

– Maman, Ariel de *La Petite Sirène...*

– Oui ?

– Comment elle fait pour faire caca ?

Mercredi 28 octobre

9 h 05

Herr Kaiser déboule dans le bureau de Paul, se jette sur la télécommande et allume la télévision.

Engoncé dans son plus beau costume, le Don nous regarde dans les yeux :

– Je vous l'annonce et c'est la parole du gouvernement.

Paul sursaute.

– Il a annoncé quoi ? C'est du direct ?

– L'interview a été enregistrée avant-hier, indique Herr Kaiser avant de suivre Paul qui, à grandes enjambées, se précipite dans le bureau du Don. Comment cela se fait-il que tu ne m'en aies pas informé ?

– Parce que je l'ignorais ! Tu ne penses quand même pas que je l'aurais laissé annoncer une nouvelle connerie à la télé ? Depuis la nomination de l'autre cruche comme spin doctor, elle a mis la main sur les médias. On ne doit vraiment pas être doués, soupire Paul. Dans une administration normalement constituée, c'est le ministre qui découvre dans la presse ce qu'il a fait.

– C'est en passe de devenir le premier TT sur Twitter, s'inquiète Herr Kaiser, le nez rivé sur son portable

– Le quoi ? grommelle Paul qui s'émerveille à chaque changement d'heure de voir son téléphone se régler automatiquement.

– Trending Topic. Mais qu'est-ce que vous faites plantée au milieu du couloir ? s'agace-t-elle en percutant Coralie de plein fouet.

– Vous avez vu, MonMaire est dans le journal ! s'écrie mon assistante.

Paul lui arrache le journal des mains pendant qu'Herr Kaiser appelle le Marquis.

– Je savais que c'était une connerie de le livrer à la presse. Non, mais sérieusement, ce type est fini à l'huile de foie de morue. « La présidentielle ? Je m'interdis de me projeter dans cette perspective. » Mais réveille-toi ! Personne n'y a songé pour toi ! La suite annonce des emmerdes avec le ministre de l'Intérieur. Il ne doit pas digérer que l'autre louche sur Matignon. Écoutez : « Contrairement à certains, je préfère concentrer toute mon énergie sur le portefeuille stratégique qui est le mien afin d'être pleinement efficace. »

Quelques lignes plus loin, le Don explique son mépris des politiques du sérail, complètement déconnectés des réalités.

La sonnerie du portable du Marquis nous fait sursauter.

– Le dir' cab du ministre de l'Intérieur, grimace-t-il.

– Au moins, il est réactif...

Laissant le Marquis se dépatouiller avec son homologue, nous cavalons jusqu'au bureau du Don. Il est rayonnant.

– Vous avez lu l'article ? nous demande-t-il d'un air ravi. Heureusement qu'il y a des politiques comme moi capables de mettre les points sur les « i » quand il le faut ! Et le journaliste n'a pas oublié de parler de mon Haut Conseil !

Une œuvre pareille, ça ferait défaut.

– Nous avons besoin d'informations sur l'interview télévisée que vous avez donnée.

Le Don balaye la question de Paul d'un revers de main agacé et se replonge dans son journal.

– De quoi avez-vous parlé exactement ? insiste notre directeur.

Notre édile hausse les épaules.

– De tout, de rien, des banalités d'usage, vous savez...

Justement. Sa dernière performance, c'était la division par deux de l'impôt sur le revenu annoncée à l'AFP.

– Mais encore ? insiste Paul, d'un air soupçonneux.

– Je ne sais plus, moi.

– Comment ça, vous ne savez plus ? C'est important, Monsieur le Ministre. Qu'avez-vous dit ?

– Bah, la première chose qui me venait à l'esprit, explique le Don, annihilant ma certitude que son plus gros problème est que, justement, rien ne lui vient jamais à l'esprit.

Le visage rubicond de mon directeur indique que cette réponse est loin de lui donner satisfaction.

– Je me devais d'agir, nous explique le Don en se calant dans son fauteuil.

La catastrophe paraît imminente. Il nous dévisage, attendant une approbation qu'il ne risque pas de trouver dans le regard sévère de notre directeur.

– Vous connaissez la politique, il faut se faire remarquer pour que les gens réalisent à quel point vous êtes compétent. Je dois me démarquer. Si vous pensez que je compte rester secrétaire d'État toute ma vie ! Grâce à mon travail sur le projet de loi de finances, je compte obtenir un portefeuille élargi rapidement. Et les élections approchent.

Immobile, mon directeur toise le Don de l'air soupçonneux d'un commissaire priseur devant une contrefaçon.

– Vous n'y pensez pas sérieusement ?

Un coup d'œil au Don suffit à comprendre que non seulement il y pense sérieusement, mais qu'il ne pense même qu'à ça.

– Qui, hormis le ministre des Transports, mon cher ami Selten, et moi, se distingue de ce troupeau de médiocres ? continue notre potentat.

– Le ministre de l'Intérieur souhaiterait s'entretenir avec vous, intervient le Marquis.

Le Don abandonne immédiatement son air conquérant et nous gratifie de l'écarquillement oculaire angoissé de celui qui sait que ça va chauffer pour son matricule.

10 h 45

Affalé dans son fauteuil, notre grand homme porte les traces de sa pénible rebuffade : visage crayeux, œil encore plus éteint que d'habitude, cheveux ternes, oreilles tombantes.

– Le Premier ministre et le ministre de l'Intérieur ne sont pas très contents... Ils veulent un démenti, nous annonce-t-il sombrement, avant d'aviser son presse-papier en cristal et de le faire disparaître discrètement dans son attaché-case.

La secrétaire du Don entre dans son bureau, Coconne sur les talons.

– Le vrai ministre des Finances est au téléphone, annonce mon assistante avant de se glisser à mes côtés pour profiter du spectacle.

Curieusement, au lieu de se transformer en flaque de vomi, le Don reprend du poil de la bête.

– Il va voir ce dont je suis capable, déclare-t-il, tout en tripotant sa cravate comme si ce geste allait lui donner le courage d'affronter l'Arlésien.

Évidemment, lorsque la voix de sa Tutelle, amplifiée par le haut-parleur que le Don ne sait pas couper, retentit dans le bureau quelques minutes plus tard, nous comprenons immédiatement que nous n'allons rien voir du tout.

– Il a l'air contrarié, chuchote Paul sans réussir à cacher un sourire de satisfaction.

Au bout d'un bon quart d'heure de hurlements, l'autre raccroche au nez de notre pauvre ministre qui, dans un immense soupir, extirpe d'un tiroir un somptueux répertoire du même cuir fauve que son fauteuil.

– Bon, puisqu'il faut le faut, je vais appeler le journaliste.

Il attrape son portable dont, à voir son hésitation, il n'a toujours pas appris à se servir en sept mois, et compose un numéro d'un index hésitant, provoquant l'affolement immédiat d'Herr Kaiser.

– Mais, Monsieur le Ministre, nous n'avons rien préparé !

– Personne ne me musellera, je suis libre de dire ce que je veux, déclare le Don avant d'aviser Herr Kaiser et de lui tendre son portable d'une main tremblante.

15 h 35

– Coralie, il faut absolument que je finisse cette note, pourriez-vous fermer la porte ?… Pas comme ça. L'idée est que vous soyez de l'autre côté de la porte, en fait.

– Et vous allez faire quoi pour MonMaire ?

– Nous allons utiliser la technique dite « Rétropédalage teinté d'amnésie » qui consiste à lui faire répéter en boucle qu'il ne se souvient pas d'avoir prononcé ces mots, sauf, éventuellement, sur le ton de la plaisanterie. Il dira que ses propos ont été sortis de leur contexte.

– Et c'est vrai ?

– Non. Évidemment. Il a eu un rendez-vous de deux heures avec la journaliste et n'a demandé de droit de regard que sur les photos. C'est donc un secrétaire d'État avec les dents blanchies, la bedaine effacée et la couperose gommée qui s'est exprimé en toute connaissance de cause…

– Donc, vous allez lui dire de mentir ! s'insurge Coralie.

Ce ne serait ni la première ni la dernière fois.

– Tout à fait. En parallèle, Herr Kaiser est chargée de trouver la rumeur qui détournera l'attention. Par exemple, on explique à la pire commère de Bercy, sous le sceau du secret bien entendu, que l'on s'apprête à supprimer un droit acquis, genre le RSA. Et une fois que tout le monde s'est excité là-dessus, on dément. Et on a réussi à faire oublier sa connerie !

– Et ça marche ?

– Une actualité chasse l'autre, donc oui.

– Et comment vous allez faire pour trouver la pire commère ? s'interroge Coconne.

– On devrait trouver, ne vous en faites pas, Coralie.

Mon téléphone sonne et, après avoir échangé quelques mots avec Herr Kaiser, j'allume la radio pour entendre le Don expliquer que, contrairement aux insinuations d'une certaine presse, il garantit que tous les membres du gouvernement sont solidaires et qu'il est en phase avec chacun de ses collègues. D'ailleurs, s'il est bien une personne pour laquelle il a une profonde affection et un grand respect, c'est bien son collègue de l'Intérieur qui est, du reste, un ami très cher.

Si le journaliste lui demande le prénom de l'ami très cher, nous sommes foutus.

– Je refuse de me laisser détourner de mon action par des déclarations de presse sorties de leur contexte, martèle le Don avec conviction. Nous sommes très solidaires les uns des autres. Nous sommes tous des politiques expérimentés. Moi-même, je suis à ce poste parce que je suis compétent. Peut-être même le plus compétent.

Épilogue

La loi de finances vient d'être votée, Paul bat le rappel pour que nous posions nos congés avant janvier afin que les remboursements de TVA ne soient pas faits avant la fin de l'année et ne grèvent pas le déficit de l'année en cours.

Entre-temps, le Vrai Ministre des Finances a fait comprendre au Don que si ce dernier présentait sa démission au Premier ministre, elle serait acceptée d'autant plus vite qu'un autre secrétaire d'État allait être nommé dans la foulée. Celui-là même qui avait débarqué dans le bureau du Don afin de prendre des mesures pour les meubles qu'il comptait y installer.

Affalé sur son fauteuil, notre potentat ressasse le sentiment d'avoir été trahi par le destin. Il renifle distraitement et se frotte le nez avec le capuchon de son Montblanc.

– Si j'avais eu une équipe qui tienne la route, nous n'en serions pas là. Vu le niveau de mon successeur, je ne donne pas cher de l'avenir de la France ! Non, mais vous avez vu par quoi ils osent me remplacer ?

Sans connaître une seule ligne du CV du secrétaire d'État, tout le clan des thuriféraires le garantit : il est nul et n'arrive pas à la cheville du Don.

— C'est comme ça, les nominations, c'est copinage et compagnie. On ne fait jamais appel aux personnes compétentes, déplore Alix pendant que Bébert opine tristement du bonnet.

— Il faut savoir descendre si l'on veut monter, déclare le Don. Sans doute le Premier ministre ne veut-il pas m'exposer.

— Je vous demande pardon ? s'étrangle Paul.

— Oui, me nommer ministre d'État me mettrait en danger, il préfère que je me prépare pour les hautes fonctions qui me sont promises et que je ne sois pas associé aux errements de son équipe actuelle qu'il doit garder pour des raisons politicardes. C'est d'ailleurs ce qu'il m'a dit au téléphone tout à l'heure… Car nous nous sommes parlé, entre hommes. Vous comptez, nous on agit. C'est pas la même chose. La politique, c'est pas un métier de gonzesses ou de tripoteurs de bouliers. La politique, c'est un métier d'hommes. Mais ça, vous ne pouvez pas le comprendre.

Remerciements

Que ceux qui auront été oubliés me pardonnent mais l'exhaustivité étant impossible, je veux témoigner toute mon affection et ma reconnaissance aux personnes suivantes, dont la présence et l'aide m'ont été précieuses.

Danielle et Jean-Pierre D. que je remercie chaleureusement pour leur humour, leur gentillesse, leur présence inconditionnelle et leurs idées géniales immédiatement transformées en anecdotes croustillantes.

Ma mère, pour être aux antipodes de celle de la narratrice et n'avoir pas levé les yeux au ciel lorsque je lui ai brossé le portrait de cette dernière.

Fano, mon double, mes deux tiers, pour tellement de choses qu'essayer de les synthétiser serait voué à l'échec.

Ma tante, pour ses encouragements et son fondant au chocolat.

Lex, mon crapaud, pour tout ce qu'il m'a apporté au cours de ses neuf trop courtes années.

Les bros Humphrey et Hector, R&M pour les intimes, pour les verres qu'ils n'ont pas cassés, les canapés qu'ils n'ont pas (entièrement fini de) ravagés(er) et pour avoir su se rendre absolument indispensables.

Marcus Rigolus et son père, pour leurs trop rares mais toujours réjouissantes visites.

Toute l'équipe d'Albin Michel et plus particulièrement Maëlle, qui s'est mise aux chats, même si elle croit que Batman attrapera un jour la souris imaginaire.

Alexandre, pour sa très juste vision des enjeux littéraires et politiques, et Chantal.

Caro, ma sœur Whovian, Bashir et Neige.

Gourdaplemousse pour ses vidéos aussi distrayantes que traumatisantes.

Numéro 13, qui m'a permis d'ouvrir mes chakras, et Ashton pour me rappeler qu'on ne doit jamais ranger sa pelle très loinG. (conformément aux instructions de Numéro 13 (*sic*), je rajouterai donc que je ne suis rien sans elles) (ce qui n'est finalement pas si éloigné que ça de la réalitAY).

Mon ancien professeur de fiscalité pour ses précieux conseils sur l'article 100 bis du CGI, ses anecdotes et ses qualités d'analyse.

Cécile, Audrey, Arnaud, pour leur soutien et leurs statuts.

Le Petit Con que j'aimerais voir rappliquer dare-dare à Bordeaux pour un café et une joute verbale, en espérant qu'il aura appris à lire d'ici là.

Tous mes collègues qui me trouvent fréquentable et avec lesquels j'ai plaisir à travailler, surtout au sauvetage de cochons d'Inde. Statler et Waldorf, jamais avares d'une ânerie du haut de leur loge-balcon, ainsi que l'indispensable de notre quatuor prandial.

Le Charly Oleg bordelais, pour me supporter – certes difficilement – et m'approvisionner en infralittérature.

Les lecteurs qui m'écrivent régulièrement pour me demander où en est la suite.

Toutes les personnes citées dans les remerciements des deux premiers ouvrages.

Composition Nord Compo
Impression CPI Bussière en août 2015
Éditions Albin Michel
22, rue Huyghens, 75014 Paris
www.albin-michel.fr

ISBN : 978-2-226-31675-2
N° d'édition : 21655/01 – N° d'impression : 2015900
Dépôt légal : septembre 2015
Imprimé en France